NARRATORI DELLA FENICE

Titolo originale:

Un viejo que leía novelas de amor

ISBN 88-7746-644-8

© Luis Sepúlveda, 1989
By arrangement with Dr. Ray-Güde Mertin, Literarische Agentur,
Bad Homburg, FRG
© 1993 Ugo Guanda Editore S.p.A., Strada della Repubblica 56, Parma
Ventiquattresima edizione: settembre 1997

LUIS SEPÚLVEDA
IL VECCHIO CHE LEGGEVA ROMANZI D'AMORE

Traduzione di Ilide Carmignani

UGO GUANDA EDITORE
IN PARMA

Mentre questo romanzo veniva letto, a Oviedo, dai membri della giuria che pochi giorni dopo gli avrebbe assegnato il Premio Tigre Juan, a molte migliaia di chilometri di distanza e di ignominia una banda di assassini armati – pagati da criminali ancora peggiori, che hanno abiti ben tagliati, unghie curate e dicono di agire in nome del « progresso » – uccideva uno dei più illustri difensori dell'Amazzonia, una delle figure più rilevanti e coerenti del Movimento Ecologico Universale.

Questo romanzo non potrà più arrivare tra le tue mani, Chico Mendes, caro amico di poche parole e molti fatti, ma il Premio Tigre Juan è anche tuo, e di tutti coloro che continueranno il tuo cammino, il nostro cammino collettivo in difesa di questo mondo, l'unico che abbiamo.

L'autore

*Al mio amico lontano Miguel Tzenke,
sindaco shuar di Sumbi, nell'alto
Nangaritza, grande difensore dell'A-
mazzonia, che in una notte di racconti
traboccanti di magia mi rivelò alcuni
particolari del suo sconosciuto mondo
verde, gli stessi che in seguito, entro altri confini lontani dall'Eden equato-
riale, mi sarebbero serviti per costruire
questa storia.*

CAPITOLO PRIMO

Il cielo, che gravava minaccioso a pochi palmi dalle teste, sembrava una pancia d'asino rigonfia. Il vento, tiepido e appiccicoso, spazzava via alcune foglie morte e scuoteva con violenza i banani rachitici che decoravano la facciata del municipio.

I pochi abitanti di El Idilio, e un pugno di avventurieri arrivati dai dintorni, si erano riuniti sul molo e aspettavano il loro turno per sedersi sulla poltrona portatile del dottor Rubicundo Loachamín, il dentista, che leniva i dolori dei suoi pazienti con una curiosa sorta di anestesia orale.

« Ti fa male? » chiedeva.

I pazienti, aggrappati ai braccioli della poltrona, rispondevano spalancando smisuratamente gli occhi e sudando a fiumi.

Alcuni volevano togliersi dalla bocca le mani insolenti del dentista per rispondergli con un insulto adeguato, ma le loro intenzioni si scontravano con le braccia robuste e la voce autoritaria dell'odontoiatra.

« Sta' fermo, cazzo! Via le mani! Lo so che fa male. E di chi è la colpa? Vediamo un po'. Mia? No. È del Governo! Ficcatelo bene nella zucca. È colpa

11

del Governo se hai i denti marci. È colpa del Governo se ti fa male. »

Allora assentivano afflitti, chiudendo gli occhi o annuendo leggermente.

Il dottor Loachamín odiava il Governo. Odiava tutti i governi dal primo all'ultimo. Figlio illegittimo di un emigrante iberico, aveva ereditato dal padre una tremenda rabbia contro tutto quello che sapeva di autorità, ma i motivi di quell'odio si erano smarriti in qualche baldoria giovanile, e i suoi sproloqui di anarchico si erano trasformati in una specie di verruca morale, che lo rendeva simpatico.

Vociferava continuamente contro il governo di turno e contro i gringos che a volte arrivavano dagli impianti petroliferi del Coca, forestieri sfacciati che fotografavano senza permesso le bocche spalancate dei suoi pazienti.

Accanto a lui, lo scarso equipaggio del Sucre caricava caschi di banane verdi e sacchi di caffè in chicchi.

Sul molo, da una parte, erano ammucchiate le casse di birra, di acquavite Frontera, di sale e le bombole di gas sbarcate in precedenza.

Il Sucre sarebbe salpato non appena il dentista avesse finito di aggiustare ganasce, avrebbe risalito le acque del fiume Nangaritza per immettersi poi nel Zamora, e dopo quattro giorni di lenta navigazione avrebbe raggiunto il porto fluviale di El Dorado.

La barca, una vecchia bagnarola mossa dalla decisione del capo-meccanico, dallo sforzo dei due uomini robusti che formavano l'equipaggio, e dalla volontà tisica di un vecchio motore diesel, non sarebbe tornata fin dopo la stagione delle piogge, che già si preannunciava nel cielo coperto.

Il dottor Rubicundo Loachamín visitava El Idilio due volte l'anno, come il postino, che raramente portava corrispondenza per qualche abitante. Dalla sua borsa scalcagnata apparivano soltanto documenti ufficiali destinati al sindaco, o i ritratti austeri e scoloriti dall'umidità dei governanti di turno.

La gente aspettava l'arrivo della barca con la sola speranza di vedere rinnovata la sua provvista di sale, gas, birra e acquavite, ma il dentista era accolto con sollievo, soprattutto dai sopravvissuti alla malaria, stanchi di sputare i resti della dentatura e ansiosi di avere la bocca libera da schegge per provarsi una delle protesi bene ordinate su un tappetino violetto dall'aria cardinalizia.

Bestemmiando contro il Governo, il dentista ripuliva le gengive dagli ultimi pezzetti di dente e subito dopo ordinava loro di sciacquarsi la bocca con acquavite.

« Bene, vediamo un po'. Questa come ti va? »

« Mi stringe. Non riesco a chiudere la bocca. »

« Cazzo! Che tipini delicati. Forza, provatene un'altra. »

« Questa mi sta larga. Se starnutisco, la perdo. »

« E tu non prendere il raffreddore, coglione. Su, apri la bocca. »

E loro gli obbedivano.

Dopo essersi provati diverse dentiere trovavano

la più comoda e discutevano il prezzo, mentre il dentista disinfettava le altre immergendole in una marmitta piena di acqua bollita e clorata.

La poltrona portatile del dottor Rubicundo Loachamín era una vera istituzione per gli abitanti delle rive dei fiumi Zamora, Yacuambi e Nangaritza.

In realtà si trattava di un vecchio sedile da barbiere con il piedistallo e i bordi smaltati di bianco, e per sollevarla era necessaria la forza del proprietario e di tutto l'equipaggio del Sucre. Veniva fissata con un perno a una pedana di un metro quadrato che il dentista chiamava « il consultorio ».

« Sul consultorio comando io, cazzo. Qui si fa quello che dice il sottoscritto. Quando sarete scesi, potrete chiamarmi cavadenti, maniscalco, o come vi pare, ed è addirittura possibile che accetti un bicchierino da voi. »

Chi stava ancora aspettando il suo turno mostrava sul volto un'estrema sofferenza, ma anche quelli che passavano sotto le pinze da estrazione non avevano un'aria migliore.

Le uniche facce sorridenti nelle vicinanze del consultorio erano quelle dei *jíbaros*, accoccolati a osservare.

I *jíbaros*. Indigeni messi al bando dal loro popolo, gli shuar, perché degenerati e degradati dai costumi degli « apaches », i bianchi.

I *jíbaros*, con indosso laceri abiti occidentali, accettavano senza proteste il soprannome affibbiato loro dai conquistatori spagnoli.

C'era un'enorme differenza tra uno shuar altero e

orgoglioso, esperto conoscitore delle segrete regioni amazzoniche, e un *jíbaro* come quelli che si riunivano sul molo di El Idilio, sperando in un goccio avanzato di alcool.

I *jíbaros* sorridevano mostrando i loro denti aguzzi, affilati con pietre di fiume.

« E voi? Che diavolo avete da guardare? Ma un giorno o l'altro mi cadrete tra le mani, macachi », li minacciava il dentista.

Sentendosi interpellati i *jíbaros* rispondevano allegri.

« *Jíbaro* ha buoni denti. *Jíbaro* mangia molta carne di scimmia. »

A volte un paziente lanciava un urlo che spaventava gli uccelli, e allontanava la pinza con una botta portando la mano libera all'impugnatura del machete.

« Comportati da uomo, coglione. Lo so che fa male e ti ho anche detto di chi è la colpa. È inutile che tu faccia delle bravate con me. Mettiti a sedere tranquillo e dimostra di avere le palle al loro posto. »

« Ma lei mi strappa l'anima, dottore. Aspetti, mi lasci mandare giù un goccetto. »

Il dentista sospirò dopo aver curato l'ultimo paziente. Avvolse le protesi che non avevano trovato clienti nel tappetino cardinalizio, e mentre disinfettava gli strumenti, vide passare la canoa di uno shuar.

L'indigeno remava con regolarità, in piedi, sulla poppa della sottile imbarcazione. Quando arrivò ac-

15

canto al Sucre, dette un paio di pagaiate per accostarsi al battello.

Dal bordo del Sucre si affacciò la figura annoiata del padrone. Lo shuar gli spiegò qualcosa gesticolando con tutto il corpo e sputando continuamente.

Il dentista finì di asciugare gli strumenti e li sistemò in un astuccio di cuoio. Poi prese il recipiente con i denti estratti e li gettò in acqua.

Il padrone e lo shuar gli passarono accanto diretti al municipio.

« Dobbiamo aspettare, dottore. Hanno portato un gringo morto. »

La notizia non gli fece piacere. Il Sucre era una bagnarola scomoda, soprattutto durante i viaggi di ritorno, quando era carico di banane verdi e di caffè maturo, quasi marcio, nei sacchi.

Se si metteva a piovere prima del tempo, come a quanto pareva sarebbe successo visto che la barca navigava con una settimana di ritardo a causa di diverse avarie, avrebbero dovuto riparare il carico, i passeggeri e l'equipaggio sotto un telone, senza spazio sufficiente per appendere le amache, e se a tutto quello si sommava un morto, il viaggio sarebbe stato doppiamente scomodo.

Il dentista aiutò a caricare a bordo la poltrona portatile e poi si avviò verso un estremo del molo. Lì lo aspettava Antonio José Bolívar Proaño, un vecchio dal corpo tutto nervi, che sembrava indifferente al fatto di ritrovarsi sulle spalle un nome così illustre.

« Non sei ancora morto, Antonio José Bolívar? »

16

Prima di rispondere, il vecchio si annusò le ascelle.

« Sembra di no. Non puzzo ancora. E lei? »

« Come vanno i tuoi denti? »

« Li ho qui », rispose il vecchio infilandosi la mano in tasca. Aprì un fazzoletto scolorito e gli mostrò la protesi.

« E perché non li usi, vecchio sciocco? »

« Me li metto subito. Non stavo né mangiando né parlando. Perché avrei dovuto consumarli? »

Il vecchio si sistemò la dentiera, fece schioccare la lingua, sputò generosamente e gli offrì la bottiglia di Frontera.

« Grazie. Credo proprio di essermi guadagnato un goccetto. »

« E come. Oggi ha tolto ventisette denti interi e un mucchio di pezzetti, ma non ha superato il suo record. »

« Tieni sempre il conto? »

« Gli amici servono a questo. A celebrare i meriti dell'altro. Prima era meglio, non le pare? Quando arrivavano ancora coloni giovani. Si ricorda di quel montuvio, quel contadino della costa che si fece levare tutti i denti per vincere una scommessa? »

Il dottor Rubicundo Loachamín piegò la testa di lato per riordinare i ricordi, e così giunse all'immagine dell'uomo, non molto giovane e vestito alla maniera montuvia. Tutto di bianco, scalzo, ma con speroni d'argento.

Il montuvio era arrivato al consultorio accompagnato da una ventina di individui, tutti ubriachi fradici. Erano cercatori d'oro senza fissa dimora. Pellegrini, li chiamava la gente, e per loro era uguale trovare l'oro nei fiumi o nelle bisacce del prossimo. Il montuvio si lasciò cadere sulla poltrona e lo guardò con espressione stupida.

« Dimmi. »

« Me li tolga tutti, dal primo all'ultimo. Uno dopo l'altro, e li posi qui, sul tavolo. »

« Apri la bocca. »

L'uomo obbedì, e il dentista vide che accanto alle rovine dei molari gli restavano molti denti, alcuni cariati, altri sani.

« Ce ne sono ancora un bel po'. Hai abbastanza soldi per tutte queste estrazioni? »

L'uomo abbandonò l'espressione stupida.

« Sa, dottore, gli amici qui non mi credono quando dico che sono un vero uomo. Allora, sa, io gli ho detto che mi farò togliere tutti i denti, uno per uno, senza mai lamentarmi. Noi scommettiamo, sa, poi lei e io faremo a metà della vincita. »

« Già quando ti leverà il secondo, te la sarai fatta sotto e chiamerai la tua mammina », gridò uno del gruppo, e gli altri lo appoggiarono con fragorose risate.

« È meglio che tu vada a berti un altro goccetto e ci pensi su. Io non mi presto alle cazzate », dichiarò il dentista.

« Sa, dottore, se lei non mi permette di vincere la scommessa, io le taglio la testa con questo qui. »

Al montuvio brillarono gli occhi mentre accarezzava l'impugnatura del machete.

18

Fu così che il dottore si prestò alla scommessa.

L'uomo aprì la bocca e il dentista fece di nuovo il conto. Erano quindici denti, e quando glielo disse, lo sfidante mise in fila sul tappetino cardinalizio delle protesi quindici pepite d'oro. Una per ogni dente, e gli scommettitori, a favore o contro, coprirono le puntate con altre pepite gialle. Il numero aumentò considerevolmente a partire dalla quinta.

Il montuvio si lasciò togliere i primi sette denti senza battere ciglio. Non si sentiva volare una mosca, ma all'ottavo fu colpito da un'emorragia che in pochi secondi gli riempì la bocca di sangue. L'uomo non riusciva a parlare, ma con un cenno chiese una pausa.

Sputò varie volte, lasciando dei grumi sulla pedana, poi mandò giù un lungo sorso di acquavite che lo fece contorcere di dolore sulla poltrona, ma non si lamentò, e dopo avere sputato di nuovo, con un altro cenno, gli ordinò di continuare.

Alla fine della carneficina, sdentato e con la faccia gonfia fino alle orecchie, il montuvio divise la vincita col dentista mostrando un'orripilante espressione di trionfo.

« Quelli sì che erano tempi », mormorò il dottor Loachamín, mandando giù un lungo sorso di Frontera.

L'acquavite di canna gli bruciò la gola, e restituì la bottiglia con una smorfia.

« Non faccia così, dottore. Questo ammazza i microbi delle budella », disse Antonio José Bolívar, ma fu interrotto.

Si avvicinavano due canoe, e da una di esse spuntava la testa immobile di un uomo biondo.

CAPITOLO SECONDO

Il sindaco, unico funzionario, massima autorità, rappresentante di un potere troppo remoto per provocare timore, era un individuo obeso che sudava incessantemente.

Diceva la gente del posto che aveva cominciato a sudare non appena messo piede a terra, sbarcando dal Sucre, e che da allora non aveva mai smesso di strizzare fazzoletti fradici, guadagnandosi il soprannome di Lumaca.

Sussurravano anche che un tempo, prima di arrivare a El Idilio, era stato in qualche grande città della sierra, ma che poi, per punirlo di un peculato, lo avevano trasferito in quell'angolo sperduto della regione orientale.

Sudava, e la sua ùnica altra occupazione consisteva nell'amministrare la provvista di birra. Lesinava le bottiglie bevendole a piccoli sorsi, seduto nel suo ufficio, perché sapeva che una volta finita la scorta la realtà sarebbe diventata più esasperante.

Quando la fortuna era dalla sua parte, poteva accadere che la siccità venisse compensata dalla visita di un gringo ben fornito di whisky. Il sindaco non beveva acquavite come la gente del posto. Assicurava che il Frontera gli dava incubi, e lui era perseguitato dal fantasma della follia.

Da un periodo di tempo imprecisato viveva con una indigena, che picchiava selvaggiamente accusandola di averlo stregato, e tutti aspettavano che la donna lo assassinasse. Si facevano addirittura scommesse.

Fin dal primo momento della sua venuta, sette anni prima, si era fatto subito odiare da tutti.

Era arrivato con la mania di riscuotere imposte per ragioni incomprensibili. Pretese di vendere permessi di caccia e di pesca in un territorio ingovernabile. Volle farsi pagare il diritto all'usufrutto dai raccoglitori che cercavano legna umida in una foresta più antica di tutti gli stati, e in uno slancio di zelo civico fece costruire una capanna di canne per rinchiudere gli ubriachi che rifiutavano di pagare le multe per disturbo dell'ordine pubblico.

Il suo passaggio provocava sguardi di disprezzo, e il suo sudore rafforzava l'odio della gente del posto.

Il funzionario precedente, invece, era stato un uomo molto amato. Vivi e lascia vivere era il suo motto. Dovevano a lui gli scali della barca e le visite del postino e del dentista, ma era durato poco nella sua carica.

Un pomeriggio aveva avuto un alterco con dei cercatori d'oro, e due giorni dopo era stato ritrovato con la testa aperta a colpi di machete, mezzo divorato dalle formiche.

El Idilio rimase per un paio di anni senza nessuna autorità che vigilasse sulla sovranità ecuadoriana di quella foresta senza limiti, finché il potere centrale inviò la Lumaca per punizione.

Ogni lunedì – era ossessionato dai lunedì – lo vedevano alzare la bandiera su un palo del molo, finché un temporale si portò via lo straccio dentro la foresta, e con esso la certezza di quei lunedì che non importavano a nessuno.

Il sindaco arrivò sul molo. Si passò un fazzoletto sulla faccia e sul collo. Poi, mentre lo strizzava, ordinò di portare su il cadavere.

Si trattava di un uomo giovane, di non più di quarant'anni, biondo e dal fisico robusto.

« Dove lo avete trovato? »

Gli shuar si guardarono tra loro, incerti se rispondere.

« Non capiscono lo spagnolo questi selvaggi? » grugnì il sindaco.

Uno degli indigeni si decise a parlare.

« A monte del fiume. A due giorni da qui. »

Il secondo indigeno mosse la testa del morto. Gli insetti avevano divorato l'occhio destro, ma il sinistro mostrava ancora un luccichio azzurrino. Uno squarcio partiva dal mento e finiva alla spalla destra. Dalla ferita spuntavano resti di arterie e alcuni vermi albini.

« Lo avete ammazzato voi. »

Gli shuar indietreggiarono.

« No. Shuar non ammazzare. »

« Non mentite. Lo avete liquidato con un colpo di machete. Si vede benissimo. »

Il ciccione, fradicio di sudore, estrasse il revolver e lo puntò verso gli indigeni sorpresi.

« No. Shuar non ammazzare », osò ripetere quello che aveva parlato. Il sindaco lo fece tacere affibbiandogli un colpo con il calcio della pistola.

Un rivoletto di sangue sgorgò dalla fronte dello shuar.

« Non crediate che sia un coglione. Lo avete ammazzato voi. Forza. Mi spiegherete i motivi in municipio. Muovetevi, selvaggi. E lei, capitano, si prepari a portare due prigionieri sulla barca. »

Per tutta risposta il proprietario del Sucre si strinse nelle spalle.

« Mi scusi. Ma lei ha preso lucciole per lanterne. Questa non è una ferita di machete. » Aveva parlato Antonio José Bolívar.

Il sindaco strizzò furioso il fazzoletto.

« E tu che ne sai? »

« So quello che vedo. »

Il vecchio si avvicinò al cadavere, si chinò, gli mosse la testa e aprì la ferita con le dita.

« Vede come son conciate le carni? Vede che le lacerazioni nella mascella sono più profonde e man mano che scendono diventano più superficiali? Vede che non si tratta di uno, ma di quattro tagli? »

« Che diavolo vuoi dire con questi discorsi? »

« Che non ci sono machete a quattro lame. Sono stati degli artigli. Gli artigli di una zampa di *tigrillo*.* Lo ha ucciso un animale adulto. Venga qui. Annusi. »

---

* *Tigrillo*: felino sudamericano dal manto maculato e dalla lunga coda, detto anche gatto-tigre. (*N.d.T.*)

Il sindaco si passò il fazzoletto sulla nuca.

« Annusare? Lo vedo che sta marcendo. »

« Si chini e annusi. Non abbia paura del morto, né dei vermi. Annusi i vestiti, i capelli, tutto. »

Vincendo la ripugnanza il grassone si chinò a fiutare il corpo con un atteggiamento da cane timoroso, senza avvicinarsi troppo.

« Che odore ha? » chiese il vecchio.

Altri curiosi si avvicinarono per annusare anche loro il cadavere.

« Non lo so. Come faccio a saperlo. Di sangue, di vermi », rispose il sindaco.

« Puzza di piscio di gatto », disse uno dei curiosi.

« Di gatta. Di piscio di una grossa gatta », precisò il vecchio.

« Questo non prova che non l'hanno ammazzato loro. »

Il sindaco tentò di recuperare la sua autorità, ma l'attenzione degli abitanti era concentrata su Antonio José Bolívar.

Il vecchio tornò a esaminare il cadavere.

« L'ha ucciso una femmina. Il maschio deve essere in giro da quelle parti, forse ferito. La femmina l'ha ucciso e gli ha subito pisciato addosso per marcarlo, perché le altre bestie non se lo mangiassero mentre lei andava in cerca del maschio. »

« Sono tutte storie. L'hanno ammazzato questi selvaggi e poi l'hanno spruzzato con piscio di gatto. Voi vi bevete qualsiasi stupidaggine », dichiarò il sindaco.

Gli indigeni volevano replicare, ma la canna dell'arma puntata su di loro ordinò tassativamente di rimanere in silenzio.

« E perché avrebbero dovuto farlo? » intervenne il dentista.

« Perché? Mi stupisce la sua domanda, dottore. Per derubarlo. Che altro motivo dovrebbero avere? Questi selvaggi non si fermano davanti a nulla. »

Il vecchio scosse il capo, irritato, e guardò il dentista, che capì a cosa mirava e lo aiutò a depositare gli averi del morto sulle tavole del molo.

Un orologio da polso, una bussola, un portafoglio con del denaro, un accendino a benzina, un coltello da caccia, una catena d'argento con un ciondolo fatto a testa di cavallo. Il vecchio parlò nel loro idioma a uno degli shuar e l'indigeno saltò nella canoa per prendergli uno zaino di tela verde.

Dentro trovarono munizioni per fucile da caccia e cinque pelli di *tigrillo* molto piccole. Pelli di gatto maculate non più grandi di un palmo. Erano cosparse di sale e puzzavano, anche se non tanto come il morto.

« Bene, eccellenza, mi sembra che il caso sia risolto », disse il dentista.

Il sindaco, senza smettere di sudare, guardava gli shuar, il vecchio, gli abitanti del posto, il dentista, e non sapeva che dire.

Gli indigeni, appena videro le pelli, si scambiarono nervosamente qualche parola e saltarono sulle canoe.

« Alt! Voi aspettate qui finché voglio io », ordinò il ciccione.

26

« Li lasci andare via. Hanno i loro buoni motivi. O non ha ancora capito? »

Il vecchio guardava il sindaco e scuoteva il capo. All'improvviso prese una delle pelli e gliela lanciò. Il ciccione, madido di sudore, l'accolse con un'espressione di schifo.

« Pensi, dottore. È qui da tanti anni e non ha ancora imparato nulla. Pensi. Quel gringo figlio di puttana ha ucciso i cuccioli e sicuramente ha ferito il maschio. Guardi il cielo, si prepara a piovere. Si faccia il quadro della situazione. La femmina doveva essere uscita a caccia per riempirsi la pancia e allattarli nelle prime settimane di pioggia. I cuccioli non erano ancora svezzati e il maschio è rimasto accanto a loro. Usa così tra le bestie e così deve averli sorpresi il gringo. Ora la femmina va in giro impazzita di dolore. Va a caccia dell'uomo. Deve essere stato facile per lei seguire le tracce del gringo. Quel disgraziato portava sulle spalle l'odore di latte, e la femmina l'ha subito fiutato. Ha già ucciso un uomo. Ha già assaggiato e conosciuto il sapore del sangue umano, e per il piccolo cervello della bestia tutti noi uomini siamo gli assassini della sua figliata, per lei abbiamo tutti lo stesso odore. Lasci andare via gli shuar. Devono avvisare il loro villaggio e quelli vicini. La femmina diventerà sempre più disperata e pericolosa ogni giorno che passa, e cercherà sangue vicino alle case. Brutto figlio di puttana di un gringo! Guardi le pelli. Sono piccole, inservibili. Cacciare con le piogge addosso e con la doppietta. Guardi quanti fori hanno. Si rende conto? Lei accusa gli

27

shuar e ora salta fuori che il trasgressore è un grin-go. Cacciava fuori stagione, e specie proibite. E se sta pensando all'arma, le assicuro che gli shuar non ce l'hanno, perché l'hanno trovato lontanissimo da dove è morto. Non mi crede? Guardi gli stivali. La parte dei talloni è lacerata. Questo vuol dire che la femmina lo ha trascinato per un bel pezzo prima di ucciderlo. Guardi gli squarci sulla camicia, sul petto. L'animale lo ha afferrato lì coi denti per trasci-narlo. Povero gringo. La morte deve essere stata or-ribile. Guardi la ferita. Uno degli artigli gli ha strap-pato la giugulare. Deve avere agonizzato per mez-z'ora, mentre la femmina gli beveva il sangue che sgorgava a fiotti, e poi, animale intelligente, lo ha trascinato fino alla riva del fiume per impedire che lo divorassero le formiche. E alla fine gli ha pisciato addosso, per marcarlo, e deve essere andata in cerca del maschio; è allora che lo hanno trovato gli shuar. Li lasci andare, e chieda loro di avvisare i cercatori d'oro che si accampano sulle rive. Una femmina im-pazzita di dolore è più pericolosa di venti assassini messi insieme. »

Il sindaco non disse nemmeno una parola, e se ne andò a scrivere il rapporto per il posto di polizia di El Dorado.

L'aria era sempre più calda e pesante. Appiccico-sa, aderiva alla pelle come una sgradevole pellicola, e portava dalla foresta il silenzio che precede il tem-porale. Da un momento all'altro si sarebbero aperte le cateratte del cielo.

Dal municipio arrivava il lento ticchettare di una

macchina da scrivere, e nel frattempo un paio di uomini ultimavano la cassa per trasportare il cadavere, che aspettava dimenticato sulle assi del molo.

Il padrone del Sucre lanciava maledizioni guardando il cielo coperto, e non smetteva di insultare il morto. Si occupò personalmente di riempire la cassa di sale, sapendo però che non sarebbe servito a molto.

Sarebbe stato meglio seguire la solita procedura adottata con qualsiasi persona, morta nella foresta, che per assurde disposizioni giuridiche non poteva essere dimenticata in una radura: aprire il cadavere con un bel taglio dal collo all'inguine, svuotarlo di tutte le budella e riempirlo di sale. In questo modo arrivavano alla fine del viaggio in condizioni presentabili. Ma questa volta si trattava di un dannato gringo ed era necessario lasciarlo intero, con i vermi che se lo mangiavano dentro, anche se al momento di sbarcare non sarebbe stato altro che un sacco di umori pestilenziali.

Il dentista e il vecchio guardavano scorrere il fiume seduti sopra bombole di gas. A tratti si passavano la bottiglia di Frontera e fumavano sigari di foglie dure, che l'umidità non riesce a spegnere.

« Accidenti! Antonio José Bolívar, hai fatto ammutolire sua eccellenza. Non ti conoscevo come investigatore. Lo hai umiliato davanti a tutti, e se lo merita. Spero che un giorno o l'altro i *jíbaros* gli piantino una freccia in corpo. »

« Lo ucciderà sua moglie. Sta accumulando

odio, ma non ne ha ancora a sufficienza. Ci vuole del tempo. »

« Senti. Con tutto il pasticcio del morto per poco non mi dimenticavo. Ti ho portato due libri. »

Al vecchio si illuminarono gli occhi.

« D'amore? »

Il dentista annuì.

Antonio José Bolívar Proaño leggeva romanzi d'amore, e a ogni suo viaggio il dentista lo riforniva di nuove letture.

« Sono tristi? » chiedeva il vecchio.

« Da piangere a fiumi », assicurava il dentista.

« Con gente che si ama davvero? »

« Come nessuno ha mai amato. »

« Soffrono molto? »

« Io non riuscivo a sopportarlo », rispondeva il dentista.

Ma il dottor Rubicundo Loachamín non leggeva quei romanzi.

Quando il vecchio gli aveva chiesto il favore di portargli dei libri, indicando molto chiaramente i suoi gusti – sofferenze, amori sfortunati e lieti fini –, il dentista si era reso conto che si trovava davanti a un incarico difficile da assolvere.

Temeva di fare una figura ridicola entrando in una libreria di Guayaquil per chiedere: « Mi dia un romanzo molto triste, con grandi sofferenze d'amore e un lieto fine ». Lo avrebbero preso per una vecchia checca, ma inaspettatamente trovò la soluzione in un bordello del lungomare.

Al dentista piacevano le nere, primo perché erano

capaci di dire parole che avrebbero tirato su un pugile al tappeto, e secondo perché a letto non sudavano.

Un pomeriggio, mentre si trastullava con Josefina, una ragazza di Esmeraldas dalla pelle liscia come il cuoio di un tamburo, vide una pila di libri sopra il cassettone.

« Sai leggere? » chiese.

« Sì. Ma lentamente », rispose la donna.

« E che libri ti piacciono? »

« I romanzi d'amore », spiegò Josefina, dimostrando gli stessi gusti di Antonio José Bolívar.

A partire da quel pomeriggio Josefina alternò i suoi doveri di dama di compagnia con quelli di critico letterario, e ogni sei mesi selezionava i due romanzi che, a suo giudizio, presentavano maggiori sofferenze, gli stessi che in seguito Antonio José Bolívar Proaño avrebbe letto nella solitudine della sua capanna davanti al fiume Nangaritza.

Il vecchio prese i libri, esaminò le copertine e dichiarò che gli piacevano.

In quel momento stavano caricando a bordo la cassa, e il sindaco controllava la manovra. Quando vide il dentista, ordinò a un uomo di andare da lui.

« Il sindaco dice che non si dimentichi le tasse. »

Il dentista gli consegnò le banconote già preparate, aggiungendo:

« Come gli salta in mente? Digli che sono un buon cittadino ».

31

L'uomo tornò dal sindaco. Il ciccione prese le banconote, le fece scomparire in tasca, e salutò il dentista portandosi una mano alla fronte.

« Allora ha beccato anche lei con questa fissazione delle imposte », commentò il vecchio.

« Ti azzannano a tradimento. I governi vivono di quanto riescono a strappare a morsi ai cittadini. Meno male che ce la vediamo con un cane piccolo. »

Fumarono e bevvero qualche altro goccetto guardando passare l'eternità verde del fiume.

« Antonio José Bolívar, ti vedo pensieroso. Su, parla. »

« Ha ragione. Non mi piace per niente questa faccenda. Di certo la Lumaca sta pensando a una battuta, e mi vuole chiamare. Non mi va. Ha visto la ferita? Una bella zampata. L'animale è grosso e gli artigli devono essere lunghi almeno cinque centimetri. Una bestia del genere, per quanto sia affamata, rimane sempre vigorosa. E poi stanno arrivando le piogge. Si cancellano le impronte, e la fame li rende più astuti. »

« Puoi rifiutarti di partecipare. Sei vecchio per una faticaccia del genere. »

« Non creda. A volte mi viene voglia di risposarmi. Magari una volta o l'altra la sorprendo chiedendole di farmi da testimone. »

« Detto tra noi, quanti anni hai, Antonio José Bolívar? »

« Troppi. Secondo i documenti una sessantina, ma, se teniamo conto che mi segnarono quando camminavo già, diciamo che dovrei essere sui settanta. »

La campana del Sucre che annunciava la partenza li obbligò a salutarsi.

Il vecchio rimase sul molo finché la barca non scomparve inghiottita da un'ansa del fiume. Allora decise che per quel giorno non avrebbe più parlato con nessuno e si tolse la dentiera, la avvolse nel fazzoletto, e stringendosi i libri al petto, si avviò verso la sua capanna.

CAPITOLO TERZO

Antonio José Bolívar sapeva leggere, ma non scrivere.

Al massimo riusciva a scarabocchiare il suo nome quando doveva firmare qualche documento, per esempio in periodo di elezioni, ma avvenimenti del genere si presentavano così sporadicamente che lo aveva quasi dimenticato.

Leggeva lentamente, mettendo insieme le sillabe, mormorandole a mezza voce come se le assaporasse, e quando dominava tutta quanta la parola, la ripeteva di seguito. Poi faceva lo stesso con la frase completa, e così si impadroniva dei sentimenti e delle idee plasmati sulle pagine.

Quando un passaggio gli piaceva particolarmente lo ripeteva molte volte, tutte quelle che considerava necessarie per scoprire quanto poteva essere bello anche il linguaggio umano.

Leggeva con l'aiuto della lente d'ingrandimento, il secondo suo più caro avere. Il primo era la dentiera.

Abitava in una capanna di canne di circa dieci metri quadrati in cui aveva sistemato ordinatamente lo scarso mobilio: l'amaca di iuta, la cassa di birra che sosteneva il fornello a cherosene, e un tavolo alto, molto alto, perché quando avvertì per la prima volta dei dolori alla schiena, seppe che gli anni cominciavano a pesare e decise di sedersi il meno possibile.

Allora costruì un tavolo dalle gambe lunghe, che gli serviva per mangiare in piedi e per leggere i suoi romanzi d'amore.

La capanna era protetta da un tetto di paglia intrecciata e aveva una finestra aperta sul fiume, davanti alla quale era piazzato il tavolo alto.

Accanto alla porta era appeso un asciugamano sfilacciato e un pezzo di sapone, che rinnovava due volte l'anno. Si trattava di un buon sapone, con un penetrante odore di grasso, che lavava bene i vestiti, i piatti, i capelli e il corpo.

A una parete, ai piedi dell'amaca, era attaccato un ritratto ritoccato da un artista della sierra, dove si vedeva una giovane coppia.

L'uomo, Antonio José Bolívar Proaño, indossava un rigoroso completo blu, una camicia bianca, e una cravatta a righe che era esistita solo nell'immaginazione del ritrattista.

La donna, Dolores Encarnación del Santísimo Sacramento Estupiñán Otavalo, vestiva invece degli abiti che erano realmente esistiti e che continuavano a esistere nei caparbi angoli della memoria, gli stessi dove si imbosca il tafano della solitudine.

Una mantiglia di velluto blu conferiva dignità al capo senza nascondere del tutto la lucente chioma nera, con la divisa in mezzo, in viaggio vegetale verso la schiena. Dalle orecchie pendevano degli orecchini a cerchio dorati, e il collo era cinto da vari giri di perline, anch'esse dorate.

La parte del busto ritratta nel quadro mostrava una camicetta riccamente ricamata alla maniera di Otavalo, sopra la quale il volto della donna sorrideva con la sua piccola bocca rossa.

Si erano conosciuti da bambini a San Luis, un villaggio della sierra vicino al vulcano Imbabura. Avevano tredici anni quando li fidanzarono, e due anni più tardi, dopo una festa alla quale non parteciparono granché, inibiti all'idea di essersi cacciati in un'avventura troppo grande per loro, risultò che erano sposati.

La coppia bambina passò i primi tre anni di matrimonio in casa del padre della sposa, un vedovo, vecchissimo, che si impegnò a fare testamento in loro favore in cambio di cure e di preghiere.

Quando il vecchio morì avevano circa diciannove anni ed ereditarono pochi metri di terra, insufficienti per mantenere una famiglia, oltre ad alcuni animali domestici che vendettero per affrontare le spese del funerale.

Passava il tempo. L'uomo coltivava la proprietà familiare e lavorava anche su terreni altrui. Vivevano con appena l'indispensabile, l'unica cosa che avevano d'avanzo erano i commenti maligni, che non toccavano lui, ma si accanivano su Dolores Encarnación del Santísimo Sacramento Estupiñán Otavalo.

La donna non rimaneva incinta. Ogni mese il san-

gue arrivava con odiosa puntualità, e dopo ogni me-
struazione aumentava l'isolamento.

« È nata sterile », dicevano alcune vecchie.

« Io le ho visto il primo sangue. C'erano dei girini
morti », assicurava un'altra.

« È morta dentro. A che serve una donna così? »
commentavano.

Antonio José Bolívar Proaño cercava di consolar-
la e passavano da un curandero all'altro, provando
ogni tipo di erbe e di unguenti della fertilità.

Ma tutto era vano. Mese dopo mese la donna si
nascondeva in un angolo della casa per accogliere il
flusso del disonore.

Decisero di abbandonare la sierra quando al mari-
to proposero una soluzione che lo fece indignare.

« Può darsi che sia tua la colpa. Devi lasciarla sola
alle feste di San Luis. »

Gli proponevano di portarla ai festeggiamenti di
giugno, e di obbligarla a partecipare al ballo e alla
grande ubriacatura collettiva che ci sarebbe stata
appena se ne fosse andato il prete. Allora tutti
avrebbero continuato a bere sdraiati sul pavimento
della chiesa, finché l'acquavite di canna, il « puro »
uscito generoso dai torchi, non avesse creato una
confusione di corpi protetta dall'oscurità.

Antonio José Bolívar Proaño rifiutò la possibilità
di essere padre del figlio di una baldoria. Aveva sentito parlare di un piano di colonizzazione dell'A-
mazzonia. Il Governo prometteva grandi estensioni
di terreno e aiuto tecnico a chi era disposto a popo-
lare dei territori disputati al Perù. Forse un cambia-

mento di clima avrebbe guarito l'anormalità di cui uno dei due era vittima.

Poco prima delle festività di San Luis raccolsero i loro pochi averi, chiusero la casa e si misero in viaggio.

Impiegarono due settimane per arrivare fino al porto fluviale di El Dorado. Fecero alcuni tratti in corriera, altri in camion, altri semplicemente a piedi, attraversando città dagli strani costumi, come Zamora o Loja, dove gli indios saragurus insistono a vestire di nero, perpetuando il lutto per la morte di Atahualpa.

Dopo un'altra settimana di viaggio, questa volta in canoa, con le membra irrigidite per la mancanza di movimento, arrivarono a un'ansa del fiume. L'unica costruzione era un'enorme capanna di lamiere zincate che faceva da ufficio, da magazzino delle sementi, da ferramenta, e anche da abitazione per i coloni appena arrivati. Era El Idilio.

Lì, dopo alcune brevi pratiche, consegnarono loro un documento pomposamente timbrato che li qualificava come coloni. Assegnarono loro due ettari di foresta, un paio di machete, delle vanghe, dei sacchi di sementi divorate dalla calandra, e la promessa di un appoggio tecnico che non sarebbe mai arrivato.

La coppia si dedicò al compito di costruire precariamente una capanna, e subito dopo si lanciò a disboscare il terreno. Lavorando dall'alba al tramonto sradicavano un albero, delle liane, degli arbusti, e all'alba del giorno successivo li vedevano rispuntare con vigore vendicativo.

Quando arrivò la prima stagione delle piogge, finirono le provviste e non seppero più che fare. Alcuni coloni avevano delle armi, vecchi fucili da caccia, ma gli animali della selva erano veloci e astuti. Perfino i pesci del fiume sembravano beffarli saltando sotto il loro naso senza lasciarsi prendere.

Isolati dalle piogge, da quegli uragani che non conoscevano, si consumavano nella disperazione di sapersi condannati a sperare in un miracolo, e contemplavano l'incessante crescita del fiume che al suo passaggio trascinava tronchi e animali gonfi.

Cominciarono a morire i primi coloni. Alcuni per avere mangiato frutti sconosciuti, altri attaccati da febbri rapide e fulminanti, altri ancora scomparivano nella lunga pancia di un boa rompiossa che li avvolgeva, li triturava, e poi li inghiottiva con un prolungato e orrendo processo di ingestione.

Si sentivano perduti: in sterile lotta con la pioggia che a ogni assalto minacciava di portarsi via la capanna, con le zanzare che in ogni pausa dell'acquazzone attaccavano con ferocia implacabile, impadronendosi di tutto il corpo, mordendo, succhiando, lasciando pinzature ardenti e larve sotto la pelle, che poco dopo avrebbero cercato la luce lasciando ferite infette nel loro cammino verso la libertà verde, e infine con gli animali affamati che vagavano nella selva popolandola di suoni agghiaccianti che impedivano il sonno. Finché la salvezza venne loro con la comparsa di alcuni uomini seminudi, dal volto dipinto di rosso con polpa di bissa e monili multicolori sul capo e sulle braccia.

Erano gli shuar che, impietositi, si avvicinavano per dare una mano.

Da loro impararono a cacciare, a pescare, a innalzare capanne stabili e resistenti agli uragani, a riconoscere i frutti commestibili e quelli velenosi, ma soprattutto, da loro impararono l'arte di convivere con la foresta.

Passata la stagione delle piogge, gli shuar li aiutarono a disboscare alcune pendici, avvertendoli però che sarebbe stato tutto vano.

Nonostante le parole degli indigeni, piantarono le prime sementi, ma presto capirono che la terra era sfibrata. Le piogge continue la lavavano a tal punto, che le piante non trovavano sufficiente alimento e morivano senza fiorire, di debolezza, o divorate dagli insetti.

Quando arrivò la successiva stagione delle piogge, i campi così duramente lavorati scivolarono a valle al primo acquazzone.

Dolores Encarnación del Santísimo Sacramento Estupiñán Otavalo non riuscì a resistere al secondo anno e se ne andò in preda a febbri altissime, consumata fino alle ossa dalla malaria.

Antonio José Bolívar Proaño sapeva di non poter tornare al villaggio sulla sierra. I poveri perdonano tutto, meno il fallimento.

Era obbligato a fermarsi, a rimanere lì in compagnia appena di qualche ricordo. Voleva vendicarsi di quella regione maledetta, di quell'inferno verde che gli aveva strappato l'amore e le speranze. Sognava un gran fuoco che trasformasse tutta quanta l'Amazzonia in una pira.

41

E nella sua impotenza scoprì che non conosceva abbastanza bene la foresta da poterla odiare.

Imparò la lingua degli shuar andando a caccia con loro. Inseguivano tapiri, roditori, capibara, *saínos* – piccoli cinghiali dalle carni saporitissime –, scimmie, uccelli e rettili. Imparò a servirsi della cerbottana, silenziosa ed efficace nella caccia, e della lancia per i veloci pesci.

Con loro abbandonò i suoi pudori di contadino cattolico. Girava seminudo ed evitava il contatto coi nuovi coloni, che lo guardavano come fosse un idiota.

Antonio José Bolívar Proaño non pensò mai alla parola libertà, ma la godeva a suo piacimento nella foresta. Per quanto cercasse di far rivivere il suo progetto di odio, continuava a sentirsi bene in quel mondo, finché pian piano dimenticò, sedotto da quei luoghi senza confini né padroni.

Mangiava quando aveva fame. Sceglieva i frutti più saporiti, rifiutava di prendere certi pesci perché gli sembravano lenti, seguiva le tracce di un animale selvatico e quando l'aveva a tiro di cerbottana il suo appetito cambiava idea.

Al cader della notte, se desiderava stare solo si sdraiava sotto una canoa, se invece aveva bisogno di compagnia cercava gli shuar.

Loro lo accoglievano compiaciuti. Dividevano con lui il loro cibo, i loro sigari fatti di foglie, e chiacchieravano per lunghe ore sputando a profusione intorno all'eterno fuoco a tre pali.

« Come siamo? » gli chiedevano.

« Simpatici come un branco di scimmie, chiacchieroni come dei pappagalli ubriachi e strilloni come dei diavoli. »

Gli shuar accoglievano i paragoni con grasse risate, scoreggiando rumorosamente per la contentezza.

« Là da dove vieni tu, come è? »

« Freddo. La mattina e la sera si gela. Bisogna usare dei poncho lunghi, di lana, e cappelli. »

« Ecco perché puzzate. Cacando insudiciate il poncho. »

« No. Be', a volte succede. Ma il fatto è che con il freddo non possiamo fare il bagno quando vogliamo, come voi. »

« Anche le vostre scimmie portano il poncho? »

« Non ci sono scimmie sulla sierra. E nemmeno cinghiali. La gente della sierra non va a caccia. »

« E allora che cosa mangiate? »

« Quello che c'è. Patate, mais. A volte un maiale o una gallina, per le feste. O un porcellino d'India nei giorni di mercato. »

« E che fate, se non andate a caccia? »

« Lavoriamo. Da quando si alza il sole a quando va giù. »

« Che stupidi! » sentenziavano gli shuar.

Dopo cinque anni che era lì seppe che non avrebbe più lasciato quei luoghi. Un giorno, denti acuminati si incaricarono di trasmettergli il messaggio.

Dagli shuar imparò a muoversi nella foresta appoggiando tutto il piede, con gli occhi e le orecchie attenti a ogni sussurro, senza smettere un solo istante di far oscillare il machete. Ma una volta, in un at-

43

timo di distrazione, lo conficcò nel terreno per siste-marsi meglio il carico di frutta, e quando fece per ri-prenderlo in mano sentì i denti acuminati e brucianti di una ix, un serpente velenoso, che gli si piantavano nel polso destro.

Riuscì a vedere il rettile, lungo un metro, che si al-lontanava, tracciando delle *x* sul terreno – da lì il no-me –, e agì rapidamente. Saltò, brandendo il mache-te nella mano ferita, e lo fece a pezzi, finché la nube di veleno non gli oscurò gli occhi.

A tentoni cercò la testa del serpente, e sentendo che la vita gli sfuggiva, si avviò verso un villaggio shuar.

Gli indigeni lo videro arrivare barcollando. Non riusciva più a parlare perché la lingua, gli arti, tutto quanto il corpo si era gonfiato smisuratamente. Sem-brava sul punto di esplodere, ma prima di perdere conoscenza riuscì a mostrare loro la testa del rettile.

Si risvegliò dopo vari giorni con il corpo ancora gonfio, rabbrividendo dalla testa ai piedi quando la febbre lo abbandonava.

Uno stregone shuar gli restituì la salute grazie a una cura complessa e prolungata.

Pozioni di erbe mitigarono la potenza del veleno. Bagni di cenere fredda attenuarono le febbri e gli in-cubi. E una dieta di cervelli, fegati e rognoni di scim-mia gli permise di tornare a camminare nel giro di tre settimane.

Durante la convalescenza gli proibirono di allon-tanarsi dal villaggio, e le donne si mostrarono infles-sibili con il trattamento per depurare il corpo.

« Hai ancora veleno dentro. Devi buttarlo fuori quasi tutto lasciando solo la dose che ti difenderà da nuovi morsi. »

Non gli davano tregua, continuavano a propinargli frutti succosi, tisane di erbe e altre pozioni fino a farlo orinare anche se non voleva.

Quando lo videro completamente ristabilito, gli shuar gli si avvicinarono con dei doni. Una nuova cerbottana, una serie di frecce, una collana di perle di fiume, un nastro per capelli con piume di tucano, e lo applaudirono fino a fargli capire che aveva superato una prova di accettazione determinata dal capriccio di divinità giocherellone, divinità minori, spesso nascoste tra gli scarafaggi, o tra le lucciole, quando vogliono confondere gli uomini e si vestono da stelle per indicare false radure nella selva.

Senza smettere di rendergli omaggio, gli dipinsero il corpo con i colori cangianti del boa e gli chiesero di danzare con loro.

Era uno dei rari sopravvissuti a un morso di ix, e questo andava celebrato con la Festa del Serpente.

Alla fine dei festeggiamenti bevve per la prima volta la natema, il dolce liquore allucinogeno preparato facendo bollire le radici della yahuasca, e nel sogno che seguì si vide parte innegabile di quei luoghi in perpetuo cambiamento, uno dei tanti peli di quell'infinito corpo verde, si accorse di pensare e sentire come uno shuar, e improvvisamente si scoprì vestito come un cacciatore esperto, intento a seguire le impronte di un animale inesplicabile, senza forma né dimensioni, senza odore né suoni, ma dotato di due brillanti occhi gialli.

Fu un segnale che gli ordinò di restare, e lui obbedì.

In seguito scelse un compagno, Nushiño, uno shuar venuto come lui da lontano, tanto che la descrizione del suo luogo di origine si perdeva tra gli affluenti del Gran Marañón. Nushiño era arrivato un giorno con una ferita di pallottola alla schiena, ricordo di una spedizione civilizzatrice di militari peruviani. Giunse svenuto e quasi dissanguato, dopo penosi giorni di navigazione alla deriva.

Gli shuar di Shumbi lo curarono, e una volta guarito, gli concessero di restare, perché la fratellanza di sangue lo permetteva.

Insieme vagavano nel folto della foresta. Nushiño era forte. Aveva vita stretta e spalle larghe, nuotava sfidando i delfini di fiume, ed era sempre di ottimo umore.

Li vedevano seguire insieme le tracce di qualche grossa preda, meditando sul colore degli escrementi lasciati dall'animale, e quando erano sicuri di averla in pugno, Antonio José Bolívar aspettava in una radura della foresta, mentre Nushiño la faceva uscire dal folto della vegetazione costringendola ad andare incontro al dardo avvelenato.

A volte cacciavano qualche cinghialetto per i coloni, e il denaro che ricevevano come ricompensa serviva solo per essere scambiato con un machete nuovo o con un sacco di sale.

46

Quando non cacciava insieme al suo compagno Nushiño, si dedicava a catturare serpenti velenosi.

Sapeva girare intorno al rettile fischiando in un tono acuto che lo disorientava, in modo da avvicinarsi e averlo faccia a faccia. Lì imitava con il braccio i movimenti del serpente, fino a confonderlo ed effettuare egli stesso i movimenti che il rettile ripeteva, ipnotizzato. Allora l'altro braccio agiva con sicurezza. La mano prendeva per il collo il serpente sorpreso e l'obbligava a liberarsi da ogni goccia di veleno affondando i denti sul bordo di una zucca vuota.

Caduta l'ultima goccia, il rettile allentava le spire, senza più la forza di continuare a odiare, o forse conscio che il suo odio era ormai vano, e Antonio José Bolívar lo gettava con disprezzo tra il fogliame.

Pagavano bene per il veleno. Ogni sei mesi compariva il rappresentante di un laboratorio che preparava siero antiofidico a comprare le boccette mortali.

A volte il serpente si rivelava più rapido di lui, ma non gli importava. Sapeva che si sarebbe gonfiato come un rospo e che avrebbe delirato qualche giorno per la febbre, ma poi sarebbe venuto il momento della rivincita. Era immune, e si divertiva a vantarsi tra i coloni mostrando le braccia coperte di cicatrici.

La vita nella foresta temprò ogni più piccola parte del suo corpo. Acquistò muscoli felini che con il passare degli anni diventarono asciutti come nervi. Conosceva la foresta bene quanto uno shuar. Nuotava bene come uno shuar. In definitiva era come uno di loro, ma non era uno di loro.

Così ogni tanto doveva andarsene, perché – gli spiegavano – era un bene che non fosse uno di loro. Desideravano vederlo, averlo accanto, ma volevano anche sentire la sua mancanza, la tristezza di non potergli parlare, e il salto di gioia che il cuore faceva loro in petto quando lo vedevano ricomparire.

La stagione delle piogge e quella della bonaccia si succedevano. Stagione dopo stagione conobbe i riti e i segreti di quel popolo. Partecipò al quotidiano omaggio alle teste rimpicciolite dei nemici morti, con dignità, da guerrieri, intonando assieme ai suoi anfitrioni gli *anents*, i poemi cantati, espressione di gratitudine per il coraggio trasmesso e del desiderio di una pace duratura.

Fu invitato al generoso festino offerto dai vecchi quando decidevano che era arrivata l'ora di «andarsene», e dopo che si erano addormentati sotto gli effetti allucinogeni della chicha e della natema, in mezzo a visioni felici che aprivano loro la porta di esistenze future già delineate, aiutò a portarli fino a una capanna lontana e a coprire i loro corpi con un dolcissimo miele di palma.

Il giorno successivo, intonando *anents* di saluto a quelle nuove vite, ora sotto forma di pesci, farfalle o animali saggi, prese parte alla raccolta delle ossa bianche, perfettamente pulite, i resti inutili degli anziani trasportati verso le altre vite dalle mandibole implacabili delle formiche añango.

Durante la sua vita tra gli shuar non ebbe bisogno dei romanzi per conoscere l'amore.

Non era uno di loro, e pertanto non poteva avere mogli. Ma era come uno di loro, e quindi lo shuar anfitrione, durante la stagione delle piogge, lo pregava di accettare una delle sue spose per maggiore orgoglio della sua casta e della sua casa.

La donna offertagli lo conduceva fino alla riva del fiume. Lì, intonando *anents*, lo lavava, lo adornava e lo profumava, per poi tornare alla capanna ad amoreggiare su una stuoia, coi piedi in alto, riscaldati dolcemente da un fuoco, senza mai smettere di intonare *anents*, poemi nasali che descrivevano la bellezza dei loro corpi e la gioia del piacere, aumentato infinitamente dalla magia della descrizione.

Era amore puro, senza altro fine che l'amore stesso. Senza possesso e senza gelosia.

« Nessuno riesce a legare un tuono, e nessuno riesce ad appropriarsi dei cieli dell'altro nel momento dell'abbandono. »

Così gli spiegò una volta il suo compagno Nushiño.

Vedendo passare il fiume Nangaritza si sarebbe potuto pensare che il tempo schivasse quell'angolo amazzonico, ma gli uccelli sapevano che da occidente avanzavano lingue potenti frugando nel corpo della selva.

Macchine enormi aprivano nuove strade e gli shuar aumentarono la loro mobilità. Non si fermavano più i tre anni abituali nello stesso luogo, per poi spostarsi e permettere il recupero della natura.

A ogni cambio di stagione si caricavano sulle spalle le capanne e le ossa dei loro morti e si allontanavano dagli estranei che venivano a occupare le rive del Nangaritza.

Giungevano altri coloni, questa volta richiamati da promesse di sviluppo legate al legname e all'allevamento del bestiame. Con loro arrivava anche l'alcool privo di rituale, e quindi la degenerazione dei più deboli. Ma soprattutto aumentava la peste dei cercatori d'oro, individui senza scrupoli venuti da tutti i confini con il solo scopo di arricchirsi rapidamente.

Gli shuar si spostavano verso oriente cercando l'intimità delle foreste impenetrabili.

Una mattina, sbagliando un tiro di cerbottana, Antonio José Bolívar scoprì che invecchiava. Era arrivato anche per lui il momento di andarsene.

Prese la decisione di installarsi a El Idilio e vivere di caccia. Sapeva di non essere capace di decidere l'istante della propria morte e di lasciarsi divorare dalle formiche. E poi, se anche vi fosse riuscito, sarebbe stata una cerimonia triste.

Era come loro, ma non era uno di loro, e non avrebbe avuto né una festa né un distacco allucinato.

Un giorno, mentre si dedicava alla costruzione di una canoa resistente, duratura, sentì un boato provenire da un braccio del fiume, il segnale che avrebbe dovuto affrettare precipitosamente la sua partenza.

Corse nel luogo dell'esplosione e trovò alcuni shuar piangenti. Gli indicarono una grande quantità di pesci morti sulla superficie dell'acqua e un gruppo di sconosciuti che dalla riva puntava su di loro delle armi da fuoco.

Erano cinque avventurieri, che per aprire una via alla corrente, avevano fatto saltare con la dinamite la diga di contenimento dove deponevano le uova i pesci.

Accadde tutto molto rapidamente. I bianchi, nervosi per l'arrivo di altri shuar, spararono colpendo due indigeni e si dettero alla fuga sulla loro imbarcazione.

Seppe subito che i bianchi erano perduti. Gli shuar presero una scorciatoia: aspettarono gli avventurieri a un passaggio stretto, dove furono facile preda dei dardi avvelenati. Uno di loro, però, nuotò fino alla riva opposta e si perse nel folto degli alberi.

Soltanto allora si preoccupò degli shuar caduti.

Uno era morto con il capo dilaniato dallo sparo a breve distanza, e l'altro agonizzava con il petto squarciato. Era il suo compagno Nushiño.

« Che brutto modo per morire », mormorò con una smorfia di dolore Nushiño, e con la mano tremante gli indicò la sua zucca di curaro.

« Non potrò andarmene tranquillo, compagno. Finché la sua testa non sarà appesa a un ramo secco, mi aggirerò come un povero uccello cieco che sbatte contro gli alberi. Aiutami, compagno. »

Gli shuar lo circondarono. Lui conosceva le abitudini dei bianchi, e le deboli parole di Nushiño gli dicevano che era arrivato il momento di pagare il debito contratto quando lo avevano salvato dal morso del serpente.

Gli parve giusto pagare quel debito, e armato di una cerbottana attraversò a nuoto il fiume, lanciandosi per la prima volta a caccia di un uomo.

Non fece fatica a scoprirne le tracce. Il cercatore d'oro, nella sua disperazione, lasciava impronte così chiare che non ebbe nemmeno bisogno di cercarle.

Dopo pochi minuti lo trovò atterrito davanti a un boa addormentato.

« Perché l'avete fatto? Perché avete sparato? »

L'uomo gli puntò contro il suo fucile da caccia.

« I *jíbaros*. Dove sono i *jíbaros*? »

« Sull'altra riva. Non ti inseguono più. »

Sollevato, il cercatore d'oro abbassò l'arma e lui ne approfittò per colpirlo con la cerbottana.

Lo prese male. Il cercatore d'oro vacillò, ma non cadde, e non ebbe altra scelta che gettarglisi addosso.

Era un uomo forte, ma alla fine, dopo una lunga lotta, riuscì a strappargli il fucile.

Non aveva mai toccato un'arma da fuoco, ma vedendo che l'uomo afferrava il machete intuì il punto esatto in cui doveva mettere il dito, e la detonazione provocò uno svolazzare di uccelli spaventati.

Stupito dalla potenza dello sparo, si avvicinò all'uomo. Aveva ricevuto i due colpi in pieno ventre e si rotolava per il dolore. Senza fare caso alle sue grida, lo legò per le caviglie e lo trascinò fino alla riva del fiume. Mentre dava le prime bracciate, si accorse che il poveretto era ormai morto.

Sulla riva opposta lo aspettavano gli shuar. Si affrettarono ad aiutarlo a uscire dal fiume, ma vedendo il cadavere del cercatore d'oro proruppero in un pianto sconsolato, che lui non riuscì a capire.

Non piangevano per l'estraneo. Piangevano per lui e per Nushiño.

Lui non era uno di loro, ma era come uno di loro. Di conseguenza avrebbe dovuto ucciderlo con una freccia avvelenata, dandogli prima la possibilità di lottare con coraggio; così, quando il curaro lo avesse paralizzato, tutto il suo valore sarebbe rimasto nella sua espressione, bloccato per sempre nella sua testa rimpicciolita, con le palpebre, le narici e la bocca cucite strette perché non scappasse.

Come ridurre quella testa, quella vita arrestata in una smorfia di spavento e di dolore?

Per colpa sua Nushiño non avrebbe potuto andarsene. Nushiño sarebbe rimasto, come un pappagallo cieco, a sbattere contro gli alberi, a urtare contro i corpi di chi non lo aveva conosciuto guadagnandosi il loro odio, a molestare il sonno dei boa addormentati, a far fuggire le prede ai cacciatori svolazzando senza meta.

Non solo si era disonorato, ma era responsabile della sventura eterna del suo compagno.

Senza smettere di piangere, gli consegnarono la migliore canoa. Senza smettere di piangere lo abbracciarono, gli dettero delle provviste e gli dissero che da quel momento non era più il benvenuto. Poteva passare dai villaggi shuar, ma non aveva diritto a fermarsi.

Gli shuar spinsero la canoa nell'acqua e subito cancellarono le sue impronte dalla riva.

CAPITOLO QUARTO

Dopo cinque giorni di navigazione arrivò a El Idilio. Il luogo era cambiato. Una ventina di case in fila formavano una strada davanti al fiume, e in fondo una costruzione un po' più grande mostrava sul davanti un'insegna gialla con la parola MUNICIPIO.

C'era anche un molo di assi che Antonio José Bolívar evitò, continuando a navigare per alcuni metri più a valle, finché la stanchezza non gli indicò un posto dove innalzare una capanna.

All'inizio quelli del posto lo sfuggirono guardandolo come fosse un selvaggio, perché lo vedevano addentrarsi nella selva armato di doppietta, una Remington calibro quattordici ereditata dall'unico uomo che aveva ucciso, e nel modo sbagliato; ma presto scoprirono l'importanza di averlo vicino.

Tanto i coloni come i cercatori d'oro commettevano ogni tipo di stupidaggine nella foresta. La depredavano sconsideratamente, e questo faceva sì che alcune bestie diventassero feroci.

A volte, per guadagnare qualche metro di terreno pianeggiante, disboscavano in modo disordinato lasciando isolato un boa rompiossa, e questo si vendicava eliminando una mula, oppure facevano la sciocchezza di attaccare i *saínos* quando erano in amore, il che trasformava quei piccoli cinghiali in mostri aggressivi. E poi c'erano i gringos delle installazioni petrolifere.

Arrivavano in gruppi chiassosi portando armi sufficienti a equipaggiare un battaglione, e si lanciavano nella foresta pronti ad ammazzare tutto quello che si muoveva. Si accanivano con i *tigrillos*, senza risparmiare cuccioli e femmine incinte, e alla fine, prima di andarsene, si facevano fotografare insieme alle dozzine di pelli stese a essiccare.

I gringos se ne andavano e le pelli rimanevano lì a marcire, finché una mano diligente le gettava nel fiume, e i *tigrillos* sopravvissuti si vendicavano sbranando qualche vacca famelica.

Antonio José Bolívar si occupava di tenerli a freno, mentre i coloni rovinavano la foresta costruendo il capolavoro dell'uomo civilizzato: il deserto.

Ma gli animali durarono poco. Le specie sopravvissute diventarono più astute: seguendo l'esempio degli shuar e di altre culture amazzoniche anche gli animali si addentrarono nella foresta, in un inevitabile esodo verso oriente.

Antonio José Bolívar Proaño si ritrovò con tutto il tempo a sua disposizione, e scoprì che sapeva leggere nello stesso periodo in cui gli marcirono i denti.

Si preoccupò di quest'ultima cosa quando si accorse che dalla bocca gli usciva un alito fetido, accompagnato da persistenti dolori alle mascelle.

Aveva assistito spesso al lavoro svolto dal dottor

Rubicundo Loachamín nelle sue visite semestrali, ma non avrebbe mai immaginato di doversi sedere anche lui sulla poltrona delle sofferenze, finché un giorno i dolori si fecero insopportabili e non ebbe altra scelta che salire sul consultorio.

« Dottore, in breve, me ne restano pochi. Mi sono tolto da solo quelli che rompevano troppo i coglioni, ma con quelli dietro non ci riesco. Mi ripulisca la bocca e discutiamo il prezzo di una di queste belle dentiere. »

In quella stessa occasione il Sucre sbarcò una coppia di funzionari statali, che installandosi con un tavolo sotto il portale del municipio furono presi per esattori di qualche nuova imposta.

Il sindaco si vide obbligato a usare tutto il suo scarso potere di convincimento per trascinare la popolazione recalcitrante fino a quel tavolo. Lì, i due annoiati emissari del potere raccoglievano i suffragi segreti degli abitanti di El Idilio a causa di una elezione presidenziale che avrebbe dovuto tenersi un mese dopo.

Anche Antonio José Bolívar arrivò davanti al tavolo.

« Sai leggere? » gli chiesero.

« Non mi ricordo. »

« Vediamo un po'. Che dice qui? »

Avvicinò, sfiduciato, il volto al foglio che gli tendevano, e si meravigliò di essere capace di decifrare quei segni misteriosi.

« Il si-gnor-can-di-da-to. »

« Sai leggere? Allora hai diritto al voto. »

« Diritto a che? »

« Al voto. Al suffragio universale e segreto. A scegliere democraticamente fra i tre candidati che aspirano alla prima magistratura. Hai capito? »

« Nemmeno una parola. Quanto mi costa questo diritto? »

« Ma niente, amico. Non per nulla è un diritto. »

« E chi devo votare? »

« E lo domandi? Sua eccellenza, il candidato del popolo. »

Antonio José Bolívar votò il prescelto, e in cambio dell'esercizio del suo diritto ricevette una bottiglia di Frontera.

Sapeva leggere.

Fu la scoperta più importante di tutta la sua vita. Sapeva leggere. Possedeva l'antidoto contro il terribile veleno della vecchiaia. Sapeva leggere. Ma non aveva niente da leggere.

A malincuore il sindaco acconsentì a prestargli dei vecchi periodici che conservava ostentatamente, come prova del suo innegabile vincolo con il potere centrale, ma ad Antonio José Bolívar non sembrarono interessanti.

La riproduzione di brani di discorsi pronunciati al Congresso, in cui l'onorevole Bucaram assicurava che a un altro onorevole si annacquava lo sperma, o un articolo che si dilungava in particolari su come Artemio Mateluna aveva ucciso con venti pugnalate, ma senza rancore, il suo migliore amico, o la cronaca che denunciava i tifosi del Manta per avere castrato un arbitro di calcio allo stadio, non gli sem-

58

bravano niente di allettante per un lettore. Tutto quello accadeva in un mondo lontano, senza riferimenti che lo rendessero comprensibile e senza indicazioni che lo rendessero immaginabile.

Un bel giorno, insieme alle casse di birra e alle bombole di gas, il Sucre sbarcò un annoiato ecclesiastico, inviato dalle autorità religiose con la missione di battezzare i bambini e di mettere fine ai concubinati. Tre giorni rimase il frate a El Idilio, senza trovare nessuno disposto a portarlo nei piccoli villaggi dei coloni. Alla fine, annoiato per l'indifferenza della clientela, si sedette sul molo ad aspettare che la barca lo riportasse via da lì. Per ammazzare le ore della canicola tirò fuori dalla sacca un vecchio libro e cercò di leggere un po' prima di essere sopraffatto dal sopore.

Il libro nelle mani del religioso funzionò come esca per gli occhi di Antonio José Bolívar, che aspettò pazientemente finché il frate, vinto dal sonno, lo lasciò cadere di lato.

Si trattava di una biografia di San Francesco, che scorse furtivamente con la sensazione di commettere una specie di furtarello.

Metteva insieme le sillabe, e man mano che andava avanti l'ansia di capire tutto quello che c'era in quelle pagine lo portò a ripetere a mezza voce le parole afferrate al volo.

Il religioso si svegliò e guardò divertito Antonio José Bolívar con il naso infilato nel libro.

« È interessante? » chiese.

« Mi scusi, eminenza. Ma l'ho vista addormentata e non ho voluto disturbarla. »

« Ti interessa? » ripeté il religioso.

« Sembra che parli molto degli animali », rispose lui timidamente.

« San Francesco amava gli animali. Amava tutte le creature di Dio. »

« Anch'io le amo. A modo mio. Lei conosce San Francesco? »

« No. Dio mi ha privato di questo piacere. San Francesco è morto moltissimi anni fa. O meglio, ha lasciato l'esistenza terrena e ora vive in eterno accanto al Creatore. »

« Come fa a saperlo? »

« Perché ho letto il libro. È uno dei miei preferiti. »

Il frate enfatizzava le parole accarezzando la rovinata copertina di cartone. Antonio José Bolívar lo guardava affascinato, sentendosi pungere dall'invidia.

« Ha letto molti libri? »

« Un certo numero. Prima, quando ero ancora giovane e non mi si stancavano gli occhi, divoravo ogni opera che mi capitava tra le mani. »

« Tutti i libri parlano di santi? »

« No. Nel mondo ci sono milioni e milioni di libri. Sono in tutte le lingue e toccano tutti i temi, compresi alcuni che dovrebbero essere vietati agli uomini. »

Antonio José Bolívar non capì quella censura, e rimase con gli occhi inchiodati sulle mani del frate, mani grassocce, bianche, sulla copertina scura.

« Di che parlano gli altri libri? »

« Te l'ho detto. Di tutti gli argomenti. Ce ne sono di avventure, di scienza, storie di esseri virtuosi, di tecnica, di amore... »

L'ultimo caso lo interessò. Dell'amore sapeva quello che dicevano le canzoni, specialmente i ballabili cantati da Julito Jaramillo, la cui voce di guayaquilegno povero sfuggiva a volte da una radio a pile rendendo taciturni gli uomini. Secondo i ballabili, l'amore era come la puntura di un tafano invisibile, ma ricercato da tutti.

« Come sono i libri d'amore? »

« Di questo temo di non poterti parlare. Ne ho letti appena un paio. »

« Non importa. Come sono? »

« Be', raccontano la storia di due persone che si incontrano, si amano e lottano per vincere le difficoltà che impediscono loro di essere felici. »

Il richiamo del Sucre annunciò il momento di salpare e lui non osò chiedere al frate di lasciargli il libro. L'unica cosa che gli lasciò fu un maggiore desiderio di leggere.

Passò tutta la stagione delle piogge rimuginando sulla sua disgrazia di lettore inutile, e per la prima volta si vide incalzato dalla belva della solitudine. Bestia astuta. Attenta alla minima distrazione per impadronirsi della sua voce e condannarlo a lunghe conferenze orfane di auditorio.

Doveva trovare delle letture, ma per farlo aveva bisogno di uscire da El Idilio. Forse non era necessario andare molto lontano, forse già a El Dorado c'era qualcuno che aveva dei libri, e si

grattava la testa pensando a come fare per otte-
nerli.

Quando le piogge diminuirono e la foresta si po-
polò di nuovi animali, abbandonò la capanna, e
munito di fucile, vari metri di corda e un machete
debitamente affilato, si addentrò nella selva.

Vi rimase quasi due settimane, nei territori degli
animali apprezzati dagli uomini bianchi.

Nella regione delle scimmie, una zona con vegetazione d'alto fusto, vuotò una dozzina di noci di
cocco per preparare una trappola. Aveva imparato
dagli shuar e non era difficile. Bastava vuotare le
noci attraverso un'apertura al massimo di un paio
di centimetri di diametro, poi si doveva fare un
foro dalla parte opposta che permettesse il passaggio di una corda che andava assicurata dall'interno
mediante un nodo ben stretto. L'altro estremo della corda si legava a un tronco e alla fine si mette-
vano dei sassi nella noce. Le scimmie, che osserva-
vano tutto da un'altura, avrebbero aspettato a
stento che se ne andasse per scendere a vedere il
contenuto delle noci. Le avrebbero prese, le avrebbero agitate, e sentendo il tintinnare prodotto dai
ciottoli, vi avrebbero infilato una mano cercando
di toglierli. Non appena avessero avuto una pie-
truzza tra le dita, avide come sono, l'avrebbero
stretta forte nel pugno lottando inutilmente per ti-
rarla fuori.

Sistemò le trappole, e prima di lasciare la zona
cercò un alto albero di papaia, uno di quelli chia-
mati a ragione delle scimmie, perché sono così alti

che soltanto questi animaletti riescono ad arrivare fino ai frutti deliziosamente assolati e dolcissimi.

Fece oscillare il tronco finché non caddero due papaie dalla polpa fragrante, poi si avviò verso la regione dei pappagalli, dei parrocchetti e dei tucani.

Metteva i frutti che raccoglieva nella bisaccia e camminava cercando le radure, evitando gli incontri con animali che non gli interessavano.

Una serie di gole lo condussero fino a una zona dalla vegetazione frondosa, piena di favi di vespe e di api laboriose, screziata ovunque di merda d'uccelli. Non appena si addentrò in quella selva fittissima si produsse un silenzio che durò varie ore, finché i volatili non si abituarono alla sua presenza.

Con liane e giunchi fabbricò due gabbie a maglia stretta, e quando furono pronte cercò delle piante di yahuasca.

Sminuzzò le papaye, mescolò la profumata polpa gialla dei frutti al succo delle radici di yahuasca, ottenuto a colpi di manico di machete, e fumando aspettò che la mistura fermentasse. Poi la assaggiò. Aveva un sapore dolce e forte. Soddisfatto, si allontanò, accampandosi vicino a un ruscello, dove si saziò di pesce.

Il giorno dopo controllò il successo ottenuto con le trappole.

Nella regione delle scimmie trovò una dozzina di animali esausti per gli sterili sforzi di liberare le mani chiuse a pugno, intrappolate nelle noci di cocco. Scelse tre coppie giovani, le chiuse in una delle gabbie e liberò le altre scimmie.

Dove aveva lasciato i frutti fermentati trovò una moltitudine di pappagalli, parrocchetti e altri uccelli addormentati nelle posizioni più inimmaginabili. Alcuni cercavano di camminare con passo vacillante o tentavano di alzarsi in volo battendo le ali senza coordinazione.

Mise in una gabbia una coppia di ara blu e oro e una di pappagallini shapul, apprezzati come parlatori, e si congedò dagli altri uccelli augurando loro un buon risveglio. Sapeva che la sbronza sarebbe durata un paio di giorni.

Con il bottino sulle spalle ritornò a El Idilio, e aspettò che l'equipaggio del Sucre finisse i lavori di carico per avvicinarsi al proprietario.

« Devo andare a El Dorado, ma non ho denaro. Lei mi conosce. Se mi ci porta, appena vendo questi animaletti, la pago. »

Il proprietario lanciò un'occhiata alle gabbie e prima di rispondere si grattò la barba di vari giorni.

« Mi considero pagato con un pappagallino. Già da tempo ne ho promesso uno a mio figlio. »

« Allora le metto da parte una coppia, così è coperto anche il viaggio di ritorno. E poi questi uccellini muoiono di tristezza se vengono separati. »

Durante la traversata chiacchierò con il dottor Rubicundo Loachamín e lo mise al corrente delle ragioni del suo viaggio. Il dentista lo ascoltava divertito.

« Ma, vecchio, se volevi qualche libro, perché non me lo hai chiesto? A Guayaquil te li trovavo di sicuro. »

« La ringrazio, dottore. Il fatto è che non so ancora quali libri voglio leggere. Ma appena lo scopro accetterò la sua offerta. »

El Dorado non era assolutamente una città grande. Aveva un centinaio di case, la maggior parte allineate lungo la riva del fiume, e tutta la sua importanza risiedeva nella caserma di polizia, in un paio di uffici del Governo, in una chiesa e in una scuola pubblica poco frequentata. Ma per Antonio José Bolívar Proaño, dopo quarant'anni trascorsi ininterrottamente nella foresta, era un ritorno al grande mondo che aveva conosciuto un tempo.

Il dentista gli presentò l'unica persona in grado di aiutarlo nei suoi propositi, la maestra del luogo, e ottenne anche che il vecchio potesse passare la notte nella scuola, un enorme edificio di canne provvisto di cucina, in cambio di aiuto nelle faccende domestiche e nella preparazione di un erbario.

Una volta vendute le scimmie e i pappagalli, la maestra gli mostrò la sua biblioteca.

Si emozionò a vedere tanti libri tutti insieme – la maestra possedeva una cinquantina di volumi ordinati in un rozzo armadio di tavole – e si dette al piacevole compito di esaminarli con l'aiuto di una lente d'ingrandimento appena comprata.

Passarono cinque mesi durante i quali formò e affinò i suoi gusti di lettore, riempiendosi al tempo stesso di dubbi e di risposte.

Esaminando i libri di geometria si chiese se davvero valeva la pena sapere leggere; di quei testi conservò una lunga frase che tirava fuori nei momenti di malumore: « In un triangolo rettangolo l'ipotenusa è il lato opposto all'angolo retto ». Frase che in seguito avrebbe causato stupore tra gli abitanti di El Idilio, che la accoglievano come uno scioglilingua assurdo o un'abiura inoppugnabile.

I testi di storia gli sembrarono un corollario di bugie. Come era possibile che quei signorini pallidi, con guanti fino ai gomiti e aderenti calzoni da funambolo, fossero capaci di vincere battaglie? Bastava vederli, con i loro riccioli ben curati che ondeggiavano al vento, per rendersi conto che quei tipi non erano capaci di ammazzare una mosca. Di modo che gli episodi storici furono scartati dai suoi gusti di lettore.

Edmondo De Amicis e *Cuore* lo tennero occupato quasi la metà della sua permanenza a El Dorado. Proprio così. Quello era un libro che si incollava alle mani e gli occhi gli si incrociavano per la stanchezza, ma batti e ribatti una sera si disse che tutta quella sofferenza era impossibile e tutta quella sfortuna non entrava in un solo corpo. Bisognava essere dei grandi stronzi per divertirsi a far soffrire in quel modo un povero bambino come la piccola vedetta lombarda, e finalmente, dopo avere esaminato tutta la biblioteca, trovò quello che davvero desiderava.

Nel *Rosario*, di Florence Barclay, c'era amore, amore da tutte le parti. I personaggi soffrivano e mescolavano la felicità con le sofferenze in modo così bello, che la lente di ingrandimento gli si appannava di lacrime.

La maestra, che non era del tutto d'accordo con i

suoi gusti di lettore, gli permise di portarsi via il libro, e con esso tornò a El Idilio, a leggerlo e rileggerlo cento volte davanti alla finestra, proprio come si disponeva a fare ora con i romanzi che gli aveva dato il dentista, che lo aspettavano, tentatori, distesi sul tavolo alto, estranei al passato disordinato a cui Antonio José Bolívar Proaño preferiva non pensare, lasciando aperti i pozzi della memoria per riempirli con le gioie e i tormenti di amori più forti del tempo.

CAPITOLO QUINTO

Con le prime ombre della sera si scatenò il diluvio e già dopo pochi minuti era impossibile vedere a un braccio di distanza. Il vecchio si stese nell'amaca aspettando l'arrivo del sonno, cullato dal violento e monocorde mormorio dell'acqua onnipresente.

Antonio José Bolívar Proaño dormiva poco. Al massimo cinque ore per notte, più due alla siesta. Gli bastavano. Il resto del tempo lo dedicava ai romanzi, a divagare sui misteri dell'amore e a immaginare i luoghi dove erano ambientate le storie.

Quando leggeva di città chiamate Parigi, Londra o Ginevra, doveva compiere un enorme sforzo di concentrazione per riuscire a immaginarle. Solo una volta aveva visitato una grande città, Ibarra, di cui ricordava vagamente le strade col selciato, gli isolati di case basse, simili una all'altra, tutte bianche, e la Plaza de Armas piena di gente che passeggiava davanti alla cattedrale.

Era questo il suo maggiore riferimento riguardo al mondo, e quando leggeva le vicende ambientate in città dai nomi seri e lontani, come Praga o Barcellona, gli pareva che Ibarra, col suo nome, non fosse una città adatta ai grandi amori.

Durante il loro viaggio verso l'Amazzonia, lui e Dolores Encarnación del Santísimo Sacramento Estupiñán Otavalo erano passati per altre due città, Loja e Zamora, ma le avevano intraviste fugacemente, e quindi non poteva dire se in loro l'amore avrebbe trovato il terreno adatto.

Ma soprattutto gli piaceva immaginare la neve.

L'aveva vista, da bambino, come una pelliccia d'agnello distesa a seccare sui bordi del vulcano Imbabura, e a volte gli sembrava una stravaganza imperdonabile che i personaggi dei romanzi la calpestassero senza preoccuparsi di insudiciarla.

Quando non pioveva, abbandonava l'amaca notturna e scendeva al fiume per lavarsi. Subito dopo cucinava il riso per tutto il giorno, friggeva delle fette di banane verdi, e se aveva a disposizione carne di scimmia, vi accompagnava i pasti con delle belle porzioni.

I coloni non apprezzavano la carne di scimmia. Non capivano che quella carne dura e resistente forniva molte più proteine della carne dei loro maiali o delle loro vacche. Inoltre la carne di scimmia richiedeva di essere masticata a lungo, e specie a chi non aveva più i suoi denti dava la sensazione di avere mangiato molto senza appesantire inutilmente il corpo.

Mandava giù il cibo con caffè amaro tostato in una casseruola di ferro e macinato a pietra, che addolciva con zucchero greggio e miele e rinforzava con un goccetto di Frontera.

Nella stagione delle piogge le notti si allungavano

70

e si concedeva il piacere di rimanere nell'amaca finché il desiderio di orinare o la fame non lo spingevano ad abbandonarla.

La cosa migliore della stagione delle piogge era che bastava scendere al fiume, immergersi, muovere qualche pietra e frugare nel letto fangoso per avere a disposizione una dozzina di grassi gamberi per colazione.

Così fece quel mattino. Si spogliò, si legò intorno alla vita con una corda il cui altro estremo era fermamente annodato a un palo – nel caso in cui fosse arrivata una piena improvvisa o un tronco alla deriva – e con l'acqua all'altezza del petto si immerse.

Il fiume scorreva torbido fino sul fondo, ma le sue mani esperte tastarono il fango, dopo avere mosso una pietra, finché i gamberi non gli si attaccarono alle dita con le loro robuste tenaglie.

Riemerse con un pugno di animaletti che si agitavano freneticamente, e si apprestava a uscire dall'acqua quando sentì le grida.

« Una canoa! Una canoa! »

Aguzzò la vista cercando di scorgere l'imbarcazione, ma la pioggia non lasciava vedere nulla. Una cortina d'acqua cadeva incessante perforando la superficie del fiume con milioni di punture talmente fitte che non riuscivano nemmeno a formare dei cerchi.

Chi poteva essere? Solo un demente avrebbe osato navigare in mezzo a quel nubifragio.

Sentì di nuovo le grida e scorse delle figure vaghe correre verso il molo.

Si rivestì, lasciò i gamberi sotto un barattolo all'ingresso della capanna, e coprendosi con un mantello di plastica si avviò anche lui nella stessa direzione.

Gli uomini si fecero da parte vedendo arrivare il sindaco. Il ciccione era senza camicia, e si riparava sotto un grande ombrello nero. Grondava acqua da tutto il corpo.

« Che diavolo succede? » gridò il sindaco avvicinandosi alla riva del fiume.

Per tutta risposta gli indicarono la canoa legata a uno dei piloni. Si trattava di una di quelle barche mal costruite dai cercatori d'oro. Era arrivata semisommersa, galleggiando solo perché di legno. A bordo ondeggiava il corpo di un individuo con la gola squarciata e le braccia straziate. Le mani, che penzolavano fuori dall'imbarcazione, avevano le dita mangiucchiate dai pesci, e gli occhi non esistevano più. I galli di monte, dei piccoli uccelli rossi, gli unici capaci di volare in mezzo al diluvio, si erano incaricati di togliergli qualsiasi espressione.

Il sindaco ordinò di portare su il corpo, e quando fu disteso sulle assi del molo lo riconobbero dalla bocca.

Era Napoleón Salinas, un cercatore d'oro che il pomeriggio precedente si era fatto curare dal dentista. Salinas era uno dei pochi individui che non si toglievano i denti marci, preferiva farseli rattoppare con pezzi d'oro. Ne aveva la bocca piena e ora mostrava i denti in un sorriso che non provocava alcuna ammirazione, mentre la pioggia gli lisciava i capelli.

Il sindaco cercò il vecchio con lo sguardo.

« Allora? È stata di nuovo la gatta? »

Antonio José Bolívar Proaño si chinò sul morto senza smettere di pensare ai gamberi che aveva lasciato prigionieri. Aprì la ferita nel collo, esaminò le lacerazioni delle braccia, e alla fine annuì.

« Diavolo. Uno di meno. Prima o poi la parca doveva portarselo via comunque », commentò il sindaco.

Il ciccione non aveva torto. Durante il periodo delle piogge i cercatori d'oro rimanevano chiusi nelle loro capanne mal costruite ad aspettare le poche pause dell'acquazzone, che non duravano mai troppo ed erano piuttosto un respiro che si concedevano le nubi per poi lasciar cadere il loro carico con maggiore brio.

Prendevano molto alla lettera il detto « il tempo è denaro », e se le piogge non davano tregua, giocavano a quaranta con carte unte, dalle figure spesso irriconoscibili, odiandosi, desiderando impadronirsi del randello del re di bastoni, invidiandosi reciprocamente, e alla fine del diluvio era normale che ne fossero scomparsi diversi, forse inghiottiti dalla corrente o dalla voracità della foresta.

A volte, dal molo di El Idilio, vedevano passare un cadavere gonfio tra i rami e i tronchi trascinati dalla piena, e nessuno si preoccupava di tirarlo a riva con una corda.

Napoleón Salinas aveva la testa penzoloni e solo le braccia straziate indicavano che aveva cercato di difendersi.

Il sindaco gli vuotò le tasche. Trovò uno sbiadito documento di identità, alcune monete, resti di tabacco e una borsetta di cuoio. L'aprì e contò venti pepite d'oro, piccole come chicchi di riso.

« Allora, esperto, che ne pensi? »

« Quello che pensa lei, eccellenza. Se ne è andato da qui tardi, abbastanza ubriaco, l'acquazzone lo ha sorpreso e si è fermato a passare la notte lungo la riva. Lì lo ha attaccato la femmina. Nonostante fosse ferito, è riuscito ad arrivare fino alla canoa, ma si è rapidamente dissanguato. »

« Mi fa piacere che siamo d'accordo », disse il ciccione.

Il sindaco ordinò di tenergli l'ombrello per avere le mani libere, e divise le pepite d'oro tra i presenti. Dopo avere ripreso l'ombrello, spinse il morto con un piede finché non cadde di testa nell'acqua. Il corpo affondò pesantemente e la pioggia impedì di vedere dove riaffiorasse poi.

Soddisfatto, il sindaco scosse l'ombrello e fece per andarsene, ma vedendo che nessuno lo imitava, e che tutti guardavano il vecchio, sputò seccato.

« Bene, lo spettacolo è finito. Che state aspettando? »

Gli uomini continuavano a fissare il vecchio, obbligandolo così a parlare.

« Il fatto è che, se uno è in canoa e lo sorprende la notte, a quale lato accosta per pernottare? »

« A quello più sicuro. Al nostro », rispose il grassone.

« Lo ha detto, eccellenza. Al nostro. Si cerca

sempre questa riva, perché, se per disgrazia si perde la canoa, rimane la possibilità di tornare al villaggio facendosi strada a colpi di machete. Di certo il povero Salinas ha pensato la stessa cosa. »

« E allora? Che importanza ha ormai? »

« Ha una grande importanza. Se ci pensa un po' su, si renderà conto che di conseguenza anche l'animale si trova su questa riva. O crede che i *tigrillos* entrino nel fiume con questo tempo? »

Le parole del vecchio provocarono dei commenti nervosi. Gli uomini volevano sentire anche l'opinione del sindaco. Dopo tutto l'autorità doveva servire a qualcosa.

Il ciccione avvertiva quell'aspettativa come un'aggressione e fingeva di meditare ritirando la nuca obesa sotto l'ombrello nero. La pioggia aumentò all'improvviso, e i sacchi di plastica che coprivano gli uomini si appiccicarono loro addosso come una seconda pelle.

« Quella bestia è lontana. Non avete visto in che stato era il cadavere? Senza occhi e mezzo mangiato dagli animali. Questo non succede in un'ora, e nemmeno in cinque. Non vedo motivi per farsela sotto », tirò fuori il sindaco alla fine.

« Può darsi. Ma è anche vero che il morto non era ancora completamente rigido, né puzzava », ribatté il vecchio.

Non disse altro, né aspettò la risposta del sindaco. Girò sui tacchi e se ne andò, indeciso se mangiare i gamberi fritti o lessi.

Entrando nella capanna, oltre la cortina di pioggia, scorse sul molo la sagoma solitaria e obesa del sindaco sotto l'ombrello come un enorme fungo scuro appena spuntato dalle assi.

CAPITOLO SESTO

Dopo aver mangiato i suoi saporiti gamberi, il vecchio pulì diligentemente la dentiera e la avvolse nel fazzoletto. Subito dopo sparecchiò, gettò gli avanzi di cibo dalla finestra, aprì una bottiglia di Frontera e si decise per uno dei romanzi.

La pioggia lo circondava da ogni parte e la giornata gli concedeva un'ineguagliabile intimità.

Il romanzo cominciava bene.

« Paul la baciò con ardore mentre il gondoliere, complice delle avventure dell'amico, fingeva di guardare altrove, e la gondola, provvista di soffici cuscini, scivolava dolcemente sui canali di Venezia. »

Lesse il brano varie volte, a voce alta.

Che diavolo erano le gondole?

Scivolavano sui canali. Doveva trattarsi di barche o di canoe. Quanto a Paul, era chiaro che non si trattava di un tipo perbene, visto che baciava « con ardore » la piccola in presenza di un amico, e complice per di più.

L'inizio gli piacque.

Gli sembrò molto azzeccato che l'autore definisse i cattivi con chiarezza fin dal principio. In quel modo si evitavano complicazioni e simpatie immeritate.

Quanto a baciare, come diceva?, « con ardore », come diavolo si faceva?

Ricordava di avere baciato pochissime volte Dolores Encarnación del Santísimo Sacramento Estupiñán Otavalo. Forse in una di quelle rarissime occasioni lo aveva fatto così, con ardore, come il Paul del romanzo, ma senza saperlo. In ogni caso erano stati pochissimi i baci perché la moglie, o rispondeva con attacchi di risa, o indicava col dito che poteva essere peccato.

Baciare con ardore. Baciare. Aveva scoperto solo ora di averlo fatto pochissime volte, e unicamente con sua moglie, perché tra gli shuar baciare era un'abitudine sconosciuta.

Tra uomini e donne esistevano le carezze, su tutto il corpo, e non importava se c'erano altre persone presenti. Ma non si baciavano nemmeno nel momento dell'amore. Le donne preferivano sedersi sopra l'uomo adducendo che in quella posizione sentivano di più l'amore, e quindi gli *anents* che accompagnavano l'atto risultavano molto più sentiti.

No. Gli shuar non baciavano.

Ricordò anche di avere visto una volta un cercatore d'oro che rovesciava a terra una *jíbara*, una povera donna che vagava tra i coloni e gli avventurieri implorando un sorso di acquavite. Chi ne aveva voglia, la spingeva in un angolo e la possedeva. La poveretta, abbrutita dall'alcool, non si rendeva nemmeno conto di cosa le facevano. Quella volta l'avventuriero le saltò addosso sulla riva e le cercò la bocca con la sua.

Ma la donna reagì come una fiera. Scaricò l'uomo, gli lanciò una manciata di sabbia negli occhi, e si mise a vomitare, presa da uno schifo invincibile.

Se significava questo baciare con ardore, allora il Paul del romanzo non era altro che un porco.

Quando arrivò l'ora della siesta aveva letto e riflettuto su circa quattro pagine, ed era seccato dalla sua incapacità di immaginare Venezia con le caratteristiche attribuite ad altre città scoperte anch'esse nei romanzi.

A quanto pareva a Venezia le strade erano allagate, e quindi la gente era costretta a muoversi in gondola.

Le gondole. La parola « gondola » riuscì finalmente a sedurlo, e decise di chiamare così la sua canoa. La Gondola del Nangaritza.

Mentre fantasticava in questo modo fu colto dal sopore delle due del pomeriggio, e si sdraiò sull'amaca, sorridendo sornione all'idea di persone che aprivano la porta di casa e cadevano in un fiume appena fatto il primo passo.

Il pomeriggio, dopo un'altra scorpacciata di gamberi, decise di continuare la lettura, e si apprestava a farlo quando un clamore lo distrasse obbligandolo ad affacciarsi e a infilare la testa sotto l'acquazzone.

Sul sentiero correva una mula impazzita tra ragli agghiaccianti, lanciando calci a chi tentava di fermarla. Punto dalla curiosità, si gettò un mantello di plastica sulle spalle e uscì a vedere cosa stava accadendo.

Con grande sforzo gli uomini circondarono il ritroso animale, ed evitando i calci, chiusero pian piano il cerchio. Alcuni caddero, rialzandosi coperti di fango, ma alla fine riuscirono a prenderlo per le briglie e a immobilizzarlo.

La mula mostrava profonde ferite ai fianchi e sanguinava copiosamente da uno squarcio che andava dalla testa al petto, coperto da un pelame rado.

Il sindaco, questa volta senza ombrello, ordinò di gettarla a terra e le sparò il colpo di grazia. L'animale sussultò, lanciò un paio di calci in aria e rimase immobile.

« È la mula di Alkaselzer Miranda », disse qualcuno.

Gli altri annuirono. Miranda era un colono che si era stabilito a circa sette chilometri da El Idilio. Ormai non coltivava più le sue terre, strappategli dalla foresta, e gestiva un miserabile spaccio con acquavite, tabacco, sale e Alkaselzer – da lì il soprannome –, a cui si rifornivano i cercatori d'oro quando non volevano arrivare fino al villaggio.

La mula era sellata, e questo significava che da qualche parte doveva esserci anche il cavaliere.

Il sindaco ordinò di prepararsi per andare la mattina dopo da Miranda, e incaricò due uomini di macellare l'animale.

I machete si mossero con abilità sotto la pioggia. Entravano nelle carni fameliche, ne uscivano insanguinati, e mentre si accingevano a ricadere per vincere la resistenza di qualche osso, venivano lavati impeccabilmente dall'acquazzone.

La carne tagliata a pezzi fu portata fino all'ingresso del municipio e il ciccione la distribuì tra i presenti.

« Tu che parte vuoi, vecchio? »

Antonio José Bolívar chiese solo un pezzo di fegato, conscio che la gentilezza del sindaco lo includeva nella spedizione.

Con il pezzo di fegato ancora caldo in mano ritornò alla capanna, seguito dagli uomini che trasportavano la testa e le altre parti indesiderabili dell'animale per gettarle nel fiume. Stava ormai cadendo la notte, e in mezzo al rumore della pioggia si sentiva il latrato dei cani che si disputavano le viscere infangate della nuova vittima.

Mentre friggeva il fegato aggiungendo rametti di rosmarino, maledisse l'incidente che distruggeva la sua tranquillità. Ora non sarebbe più riuscito a concentrarsi nella lettura, era costretto a pensare al sindaco, a capo della spedizione del giorno successivo.

Tutti sapevano che ce l'aveva con lui, e sicuramente il risentimento era aumentato dopo l'incidente con gli shuar e il gringo morto.

Il ciccione avrebbe potuto creargli dei problemi, glielo aveva fatto sapere già in precedenza.

Di malumore si mise la dentiera e masticò i pezzetti rinsecchiti di fegato. Aveva sentito dire spesso che con gli anni arriva la saggezza, e aveva aspettato, fiducioso, che questa saggezza gli desse quello che più desiderava: la capacità di guidare la direzio-

81

ne dei ricordi per non cadere nelle trappole che questi spesso gli tendevano.

Ma ancora una volta cadde nella trappola e smise di sentire il rumore monotono dell'acquazzone.

Erano passati vari anni dalla mattina in cui, al molo di El Idilio, era arrivata un'imbarcazione mai vista prima. Una lancia piatta, a motore, che permetteva di viaggiare comodamente a circa otto persone, sedute a due a due invece che nella scomodissima fila indiana dei viaggi in canoa.

Con la nuova imbarcazione arrivarono quattro nordamericani provvisti di macchine fotografiche, viveri e arnesi di uso sconosciuto. Rimasero ad adulare e intossicare di whisky il sindaco per vari giorni, finché il ciccione, tronfio di orgoglio, si avvicinò con loro alla sua capanna, indicandolo come il più grande conoscitore dell'Amazzonia.

Il grassone puzzava di alcool e non smetteva di chiamarlo suo amico e collaboratore, mentre i gringos fotografavano non solo loro due, ma tutto quello che capitava davanti alle macchine fotografiche.

Senza chiedere permesso entrarono nella capanna, e uno di loro, dopo aver riso a crepapelle, insistette per comprare il ritratto che lo mostrava accanto a Dolores Encarnación del Santísimo Sacramento Estupiñán Otavalo. Il gringo osò staccare il quadro dalla parete e metterselo nello zaino, lasciandogli in cambio un pugno di banconote sul tavolo.

Fece fatica a frenare la rabbia e a tirare fuori le parole.

82

« Dica a quel figlio di puttana che, se non rimette subito al suo posto il ritratto, gli faccio volare via le palle con due colpi di doppietta. E sappia che la tengo sempre carica. »

Gli intrusi capivano lo spagnolo, e non ebbero bisogno che il ciccione spiegasse nel dettaglio le intenzioni del vecchio. Il sindaco, in tono amichevole, chiese la loro comprensione, adducendo che i ricordi erano sacri in quelle terre, e aggiunse che non dovevano aversene a male, perché gli ecuadoriani, e lui in particolare, apprezzavano molto i nordamericani, quindi, se si trattava di portarsi via qualche bel ricordo, si sarebbe incaricato lui stesso di trovargliene.

Non appena il ritratto fu tornato al suo posto, il vecchio alzò i cani della doppietta e ordinò loro di andarsene.

« Vecchio scemo. Mi stai facendo perdere un grande affare. Anzi lo stiamo perdendo tutti e due. Ti ha già restituito il ritratto. Che altro vuoi? »

« Che se ne vadano. Non faccio affari con chi non sa rispettare la casa altrui. »

Il sindaco voleva aggiungere qualcosa, ma vedendo che i visitatori facevano una smorfia di disprezzo e si avviavano, si infuriò.

« Quello che se ne andrà sei tu, vecchio di merda. »

« Io sono a casa mia. »

« Ah sì? Non ti sei mai chiesto a chi appartiene il suolo dove hai costruito questa tana immonda? »

Antonio José Bolívar rimase veramente sorpreso

dalla domanda. Un tempo aveva un documento intestato che lo nominava proprietario di due ettari di terra, che però erano varie leghe a monte del fiume.

« Questo terreno non è di nessuno. Non ha padrone. »

Il sindaco rise, trionfante.

« Ti sbagli. Tutti i terreni lungo il fiume, fino a cento metri dalla riva, appartengono allo Stato. E nel caso in cui te lo sia dimenticato, qui lo Stato sono io. Ne riparleremo. Di questa che mi hai fatto non mi scordo, e io non sono di quelli che perdonano. »

Sentì il desiderio di premere i grilletti e scaricare il fucile. Immaginò anche i due colpi che entravano nella pancia voluminosa del ciccione spingendolo indietro, mentre la scarica usciva dalla parte opposta portandosi via le budella e parte della schiena.

Il sindaco, vedendo gli occhi accesi del vecchio, preferì allontanarsi rapidamente e raggiunse al trotto il gruppetto dei nordamericani.

Il giorno successivo l'imbarcazione piatta lasciò il molo con un equipaggio più numeroso. Ai quattro nordamericani si erano aggiunti un colono e un *jíbaro* raccomandati dal sindaco come esperti conoscitori della foresta.

Antonio José Bolívar Proaño rimase ad aspettare la visita del ciccione con il fucile pronto.

Ma il ciccione non si avvicinò alla capanna. Arrivò invece Onecén Salmudio, un ottuagenario oriundo di Vilcabamba. L'anziano gli dimostrava grande simpatia per il fatto che erano entrambi originari della sierra.

« Che è successo, paesano? » lo salutò Onecén Salmudio.

« Niente. Cosa dovrebbe essere successo? »

« So che c'è stato qualcosa, paesano. La Lumaca è venuta anche da me a chiedermi di accompagnare i gringos nella foresta. Sono riuscito a stento a convincerlo che alla mia età non posso andare lontano. Come mi ha adulato la Lumaca. Mi ripeteva ogni secondo che i gringos sarebbero stati felici con me, considerando anche il fatto che ho un nome da gringo. »

« Come, paesano? »

« Ma sì. Onecén è il nome del santo dei gringos. È sulle loro monetine, e si scrive separato e con una t alla fine. *One cent.* »

« Qualcosa mi dice che non sei venuto qui per parlarmi del tuo nome, paesano. »

« No. Vengo a dirti di fare attenzione. La Lumaca ce l'ha con te. Davanti a me ha chiesto ai gringos di parlare col commissario, al loro ritorno a El Dorado, perché gli mandi una coppia di agricoltori. Ti vuole buttare fuori di casa, paesano. »

« Ho munizioni per tutti », assicurò senza convinzione. E le notti successive non riuscì a dormire.

Il balsamo contro l'insonnia gli arrivò una settimana dopo, quando vide ricomparire l'imbarcazione piatta. Non fu un arrivo elegante quello che fecero. Sbatterono contro i piloni del molo e non si preoccuparono nemmeno di portare a terra il carico.

Erano solo in tre, tutti nordamericani, e appena toccarono il molo partirono sparati in cerca del sindaco.

Poco dopo il grassone venne a fargli visita con aria conciliante.

« Senti, vecchio, i cristiani parlando si intendono. Quello che ti avevo detto è vero. La tua casa sorge su terreni dello Stato e tu non hai diritto a rimanere qui. Anzi, io dovrei arrestarti per occupazione illecita, ma siamo amici, e visto che una mano lava l'altra e tutte e due lavano il culo, dobbiamo aiutarci. »

« Che cosa vuole da me questa volta? »

« Prima di tutto che tu mi ascolti. Ti racconterò quello che è successo. Quando si sono accampati la seconda volta il *jíbaro* li ha piantati in asso portandosi via un paio di bottiglie di whisky. Lo sai come sono i selvaggi. Non pensano ad altro che a rubare. Allora, be', il colono ha detto loro che non importava. I gringos volevano arrivare nel cuore della foresta e fotografare gli shuar. Non so come mai gli piacciono tanto quegli indios nudi come vermi. In ogni modo il colono li ha guidati senza problemi fino nei pressi della cordigliera del Yacuambi, ma lì dicono che sono stati attaccati da un branco di scimmiette. Non ho capito bene, perché sono isterici e parlano tutti insieme. Dicono che hanno ammazzato il colono e uno di loro. Non ci posso credere. Quando mai si è visto che le scimmiette uccidano la gente? E poi con un calcio ne fai secche una dozzina. Non riesco a capire. Secondo me sono stati i *jíbaros*. Tu che ne pensi? »

« Lei sa che gli shuar evitano di mettersi nei pasticci. Di sicuro non ne hanno visto nemmeno uno. Se, come dicono loro, il colono li ha portati fino alla cordigliera del Yacuambi, sappia che gli shuar hanno abbandonato quella zona da tempo. E sappia anche che le scimmiette attaccano. È vero che sono piccole, ma in massa sono capaci di fare a pezzi un cavallo. »

« Non capisco. I gringos non erano a caccia. Non avevano nemmeno armi. »

« Ci sono troppe cose che lei non capisce, mentre io ho alle spalle molti anni nella foresta. Mi ascolti. Sa come fanno gli shuar per entrare nel territorio delle scimmie? Prima si tolgono tutti i monili, non portano nulla che possa pungere la loro curiosità, e sporcano i machete con corteccia di palma bruciata. Ci pensi. I gringos con le loro macchine fotografiche, con i loro orologi, con le loro catene d'argento, con le loro fibbie e coltelli cromati, sono stati una vera e propria provocazione per la curiosità delle scimmiette. Conosco i loro territori, e come si comportano. Posso dirle che se uno si dimentica un particolare, se ha addosso qualcosa, qualsiasi cosa che attragga la curiosità di una scimmietta, e questa scende dagli alberi per prenderlo, questo qualcosa, qualunque cosa sia, è meglio lasciarglielo. Se uno fa resistenza, la scimmietta si metterà a strillare, e nel giro di pochi secondi cadranno dal cielo centinaia, migliaia di piccoli demoni pelosi e furibondi. »

Il ciccione ascoltava, asciugandosi il sudore.

« Ci credo. Ma è colpa tua che ti sei rifiutato di accompagnarli, di fare loro da guida. Con te sarebbero stati al sicuro. Avevano una lettera di raccomandazione del Governatore. Sono nei pasticci fino ai capelli e tu devi aiutarmi a uscirne. »

« A me non avrebbero nemmeno badato. I gringos sanno sempre tutto. Ma non mi ha ancora detto cosa vuole da me. »

Il sindaco estrasse di tasca una bottiglietta di whisky e gliene offrì un sorso. Il vecchio accettò solo per assaggiarne il sapore, e subito si vergognò di quella curiosità da scimmia.

« Vogliono che qualcuno vada a raccogliere i resti del loro compagno. Ti giuro che ci pagano una bella cifra per farlo, e tu sei l'unico in grado di riuscirci. »

« Va bene. Ma non voglio saperne dei suoi affari. Io le porto quello che rimane del gringo e lei mi lascia in pace. »

« Certo, vecchio. Come ti ho detto, i cristiani parlando si intendono. »

Non gli costò grande sforzo arrivare fino al luogo dove i nordamericani si erano accampati la prima notte, poi facendosi strada a colpi di machete raggiunse la cordigliera del Yacuambi, la foresta alta, ricca di frutti selvatici, dove varie colonie di scimmiette avevano stabilito il loro territorio. Là non dovette nemmeno cercare le tracce. Durante la fuga i nordamericani avevano abbandonato una tale quantità di oggetti, che gli bastò seguirli per scoprire i resti di quei poveretti.

Prima trovò il colono, che riconobbe dal cadavere sdentato, poi, a pochi metri, il nordamericano. Le formiche avevano compiuto il loro lavoro in modo impeccabile lasciando ossa pulitissime che sembravano di gesso. Lo scheletro del nordamericano stava ricevendo l'ultima attenzione dalle formiche. Trasportavano la sua chioma biondo paglia capello per capello, come minuscole boscaiole, per rinforzare con quegli alberi dorati il cono d'ingresso del formicaio.

Con movimenti lenti accese un sigaro e lo fumò osservando il lavoro degli insetti, indifferenti alla sua presenza. Sentì un rumore in alto, e non poté evitare una risata. Una scimmietta cadde da un albero trascinata dal peso di una macchina fotografica che voleva portarsi dietro a ogni costo.

Finì il sigaro. Aiutò le formiche rapando il teschio con il machete, e mise le ossa in un sacco.

Poté riportare indietro solo un oggetto dello sfortunato nordamericano: la cintura con la fibbia argentata a forma di ferro di cavallo che le scimmiette non erano riuscite ad aprire.

Tornò a El Idilio, consegnò i resti, e il sindaco lo lasciò in pace, in questa pace che doveva proteggere perché da essa dipendevano i momenti piacevoli davanti al fiume, in piedi di fronte al tavolo alto a leggere lentamente romanzi d'amore.

Ma questa pace ora era di nuovo minacciata dal sindaco, che lo avrebbe obbligato a partecipare alla spedizione, e da artigli affilati, nascosti chissà dove nel folto della foresta.

CAPITOLO SETTIMO

Il gruppo di uomini si riunì alle prime tenui luci dell'alba, che si indovinava sopra i nuvoloni. Arrivarono uno per volta saltando sul sentiero pieno di fango, scalzi, coi pantaloni rimboccati fino alle ginocchia.

Il sindaco ordinò a sua moglie di servire loro caffè e fette di banane verdi fritte nel burro, mentre lui distribuiva cartucce per i fucili. Tre cariche doppie per ciascuno, oltre a una scatola di sigari, fiammiferi e una bottiglia di Frontera a testa.

« Tutto questo è a spese dello Stato. Al ritorno mi dovrete firmare una ricevuta. »

Gli uomini mangiavano e buttavano giù i primi bicchierini della giornata.

Antonio José Bolívar Proaño si teneva un po' in disparte dal gruppo e non toccò il piatto di latta.

Aveva fatto colazione presto e conosceva gli inconvenienti di chi va a caccia col corpo appesantito. Il cacciatore deve essere sempre un po' affamato, perché la fame rende più acuti i sensi. Affilava con la pietra il machete, sputando di tanto in tanto sulla lama, e poi, guardando con un occhio solo, controllava la perfezione del filo.

« Ha un piano? » chiese uno.

« Prima andremo fino da Miranda. Poi si vedrà. »

Il ciccione non era certo un grande stratega. Dopo avere controllato in maniera complicata la carica della sua Smith and Wesson, « miteuesso » per la gente del posto, si infilò un impermeabile di tela cerata blu che metteva in risalto il suo fisico amorfo.

Nessuno dei quattro uomini fece il minimo commento. Godevano a vederlo sudare di continuo come un rubinetto arrugginito.

« Vedrai, Lumaca. Vedrai che bel calduccio fa l'impermeabile. A stare lì dentro ti ritroverai le palle lesse. »

Eccetto il sindaco erano tutti scalzi. Avevano foderato i cappelli di paglia con borse di plastica, e proteggevano i sigari, le munizioni e i fiammiferi in bisacce di tela gommata. I fucili da caccia, scarichi, viaggiavano ad armacollo.

« Scusi se mi permetto, ma gli stivali di gomma la disturberanno durante la marcia », osservò uno.

Il ciccione fece finta di non sentire e dette l'ordine di partenza.

Lasciarono l'ultima casa di El Idilio e si addentrarono nella foresta. Dentro pioveva meno, ma cadevano zampilli più grossi. La pioggia non riusciva a oltrepassare il fitto tetto vegetale. Si accumulava sulle foglie, e quando i rami cedevano per il peso, precipitava giù tutta insieme profumata da mille spezie.

Camminavano lentamente a causa del fango, dei rami e delle piante che coprivano con rinnovato vigore lo stretto sentiero.

Per avanzare meglio si divisero. In testa due uomini aprivano una breccia col machete, in mezzo camminava il sindaco respirando affannosamente, fradicio dentro e fuori, e in coda i due uomini restanti chiudevano la marcia tagliando le piante sfuggite ai primi due machete.

Antonio José Bolívar era uno di quelli che camminavano alle spalle del sindaco.

« Caricate i fucili. È meglio essere pronti », ordinò il ciccione.

« Perché? È meglio tenere le cartucce all'asciutto nelle tasche. »

« Comando io qui. »

« Ai suoi ordini, eccellenza. In fondo le cartucce sono dello Stato. »

Gli uomini finsero di caricare i fucili.

Dopo cinque ore di cammino avevano percorso poco più di un chilometro. La marcia si interrompeva spesso a causa degli stivali del ciccione. A volte, quando affondava i piedi nella melma gorgogliante, sembrava che il fango volesse inghiottire quel corpo obeso. Il sindaco cominciava subito a lottare per liberare i piedi muovendosi con tale goffaggine che otteneva solo di sprofondare di più. Gli uomini lo tiravano fuori prendendolo per le ascelle, ma pochi passi più avanti era di nuovo sprofondato fino alle ginocchia.

All'improvviso il ciccione perse uno degli stivali.

Il piede libero ricomparve, bianco e leggero, ma per mantenere l'equilibrio, lo affondò immediatamente accanto al buco dove era scomparso lo stivale.

Il vecchio e il suo compagno lo aiutarono a uscire dalla melma.

« Lo stivale. Cercatemi lo stivale », ordinò.

« Le avevamo detto che le avrebbero dato fastidio. Ormai è sparito. Faccia come noi, cammini sui rami tagliati. Scalzo va molto più comodo, e avanziamo meglio. »

Il sindaco, furioso, si chinò cercando di scavare nel fango con le mani. Sforzo inutile. Spostava un pugno dopo l'altro di quella liquida crema scura senza riuscire ad alterarne la superficie.

« Al suo posto non lo farei. Chissà che bestiacce stanno dormendo beatamente là sotto », commentò uno.

« Certo. Scorpioni, per esempio. Si sotterrano finché non sono passate le piogge e non amano essere molestati. Si incazzano terribilmente », aggiunse il vecchio.

Il sindaco, chino, li guardava con odio.

« Credete che mi beva queste stronzate? Volete spaventarmi con delle storielle? »

« No, eccellenza. Aspetti un attimo. »

Il vecchio tagliò un ramoscello, gli aprì la punta a forcella e l'affondò varie volte nel fango gorgogliante. Quando alla fine lo tirò fuori e lo pulì accuratamente con il machete, cadde a terra uno scorpione adulto. L'insetto era tutto coperto di fango, ma anche così si notava la coda velenosa sollevata.

« Vede? E lei, che traspira tanto, tutto bello salato, è un invito a nozze per queste bestiole. »

Il sindaco non rispose. Con lo sguardo perso sullo scorpione che cercava di immergersi di nuovo nella tranquillità della melma, estrasse il revolver e lo scaricò, sparando tutti e sei i colpi, sull'insetto. Poi si tolse l'altro stivale e lo gettò tra il fogliame.

Con il ciccione scalzo, la marcia si fece un po' più rapida, ma a ogni salita perdevano tempo. Tutti si arrampicavano senza difficoltà e si fermavano a guardare il sindaco che, gattoni, avanzava di un paio di metri per poi retrocedere di quattro.

« Spinga con il culo, eccellenza. Guardi come facciamo noi. Apra bene le gambe prima di posare il piede. Lei le allarga solo dalle ginocchia in giù. Camminano così le monache che passano davanti a un combattimento di galli. Le apra bene e spinga con il culo », gli gridavano.

Il ciccione, con gli occhi rossi per la rabbia, cercava di salire a modo suo, ma ogni volta il suo corpo amorfo lo tradiva, finché gli uomini non formarono una catena di braccia e lo tirarono su.

Le discese erano più rapide. Il sindaco le faceva sempre seduto, sdraiato sulla schiena o sulla pancia. Ogni volta arrivava primo, avvolto nel fango e in resti di piante.

A metà pomeriggio nuovi pesanti nuvoloni si addensarono nel cielo. Non potevano vederli, ma si indovinavano nell'oscurità che rendeva impenetrabile la foresta.

« Non possiamo proseguire. Non si vede più nulla », disse il sindaco.

« Mi sembra una cosa sensata », dichiarò il vecchio.

« Bene, allora ci fermiamo qui », ordinò il ciccione.

« Fermatevi voi. Io vado a cercare un posto sicuro. Farò presto. Voi fumate in modo che possa orientarmi al ritorno », ribatté Antonio José Bolívar, e consegnò il suo fucile a uno degli uomini.

Il vecchio scomparve inghiottito dall'oscurità e gli uomini rimasero a fumare i loro sigari di foglia dura, proteggendoli con le mani a coppa.

Non impiegò molto tempo a trovare un terreno pianeggiante. Lo percorse misurandolo a passi, e con la lama del machete saggiò la vegetazione. All'improvviso il machete gli restituì un suono metallico e il vecchio sospirò soddisfatto. Tornò indietro orientandosi con l'odore del tabacco e informò gli altri che aveva trovato un posto adatto per passare la notte.

Il gruppo arrivò al terreno pianeggiante e due uomini si dedicarono al compito di tagliare foglie di banano selvatico con cui tappezzarono il suolo, sedendosi poi soddisfatti a mandare giù un meritato goccetto di Frontera.

« Peccato che non possiamo fare un falò. Saremmo più al sicuro accanto a un buon fuoco », si lamentò il sindaco.

« È meglio così », ribatté uno degli uomini.

« Non mi piace questa situazione. Non mi piace

l'oscurità. Perfino i selvaggi si proteggono con il fuoco », insisté il ciccione.

« Guardi, eccellenza, che siamo in un luogo sicuro. Noi non possiamo vedere la bestia, se per caso è qui vicino, e lei non può vedere noi. Se accendessimo un fuoco, le regaleremmo la possibilità di vederci, mentre noi non la vedremmo perché la fiamma ci abbaglierebbe. Stia tranquillo e cerchi di dormire. Abbiamo tutti bisogno di un buon sonno. Ah!, e soprattutto evitiamo di parlare. »

Gli uomini assecondarono le parole del vecchio, e dopo una breve consultazione si accordarono per i turni di guardia. Il vecchio avrebbe fatto il primo e poi avrebbe svegliato il suo sostituto.

Ben presto la stanchezza della marcia si impadronì degli uomini. Dormivano rannicchiati, abbracciandosi le gambe e riparandosi il volto coi cappelli. Il loro respiro tranquillo non copriva il rumore della pioggia.

Antonio José Bolívar era seduto con le gambe incrociate e la schiena appoggiata a un tronco. Ogni tanto accarezzava la lama del machete e ascoltava, attento, i suoni della foresta. Dei tonfi ripetuti prodotti da qualcosa di voluminoso che cadeva nell'acqua gli indicarono che erano vicini a un braccio di fiume o a un ruscello in piena. Nel periodo delle piogge l'acquazzone trascinava giù dai rami migliaia di insetti e i pesci banchettavano. Saltavano di felicità, sazi e soddisfatti.

Ricordò la prima volta che aveva visto un vero pesce di fiume. Erano passati molti anni. Era successo quando era ancora un apprendista nella foresta.

Un pomeriggio, mentre era a caccia, si era accorto della puzza acida che mandava il suo corpo, troppo sudato, e arrivando a un ruscello si preparò a fare un tuffo. Per fortuna uno shuar lo vide in tempo e gridò per avvertirlo.

« Non ti tuffare. È pericoloso. »

« Piranha? »

Lo shuar fece cenno di no. I piranha si raggruppano nelle acque tranquille e profonde, mai nella corrente. Sono pesci goffi e diventano veloci solo se spinti dalla fame o dall'odore del sangue. Non aveva mai avuto problemi coi piranha. Aveva imparato dagli shuar che basta spalmarsi il corpo con latte di caucciù per farli fuggire. Il latte di caucciù pizzica, brucia, sembra strapparti la pelle di dosso, ma il fastidio scompare al contatto con l'acqua fresca e i piranha fuggono appena sentono l'odore.

« Peggio dei piranha », disse lo shuar, e con un cenno della mano indicò al suo sguardo un punto sulla superficie del ruscello. Scorse una macchia scura lunga oltre un metro che scivolava via rapida.

« Cosa è? »

« Un *bagre guacamayo*. »

Un pesce enorme. In seguito catturò alcuni esemplari che raggiungevano i due metri e superavano i settanta chili di peso, e seppe anche che erano inoffensivi, ma mortalmente amichevoli.

Quando vedevano in acqua un essere umano, si avvicinavano per giocare, affibbiandogli in segno di apprezzamento dei colpi di coda tali da spezzargli facilmente la spina dorsale.

Sentiva ripetersi i tonfi pesanti nell'acqua. Forse si trattava di un *bagre guacamayo* che si ingozzava di termiti, mosconi, insetti stecco, cavallette, grilli, ragni, o sottili serpi volanti trascinate giù dall'acquazzone.

Era un rumore vitale in mezzo all'oscurità. Era come dicono gli shuar: di giorno c'è l'uomo e la foresta. Di notte l'uomo è la foresta.

Lo ascoltò compiaciuto finché cessò.

Il suo sostituto ai turni di guardia lo prevenne. Fece scricchiolare le giunture stirandosi, e poi si avvicinò.

« Ho già dormito abbastanza. Dai, sdraiati nel mio letto. Te l'ho lasciato caldo. »

« Non sono stanco. Preferisco dormire quando schiarisce. »

« C'era qualcosa che saltava nell'acqua, vero? »

Il vecchio stava per parlargli dei pesci, ma fu interrotto da un rumore nuovo che arrivava dal folto della foresta.

« Hai sentito? »

« Zitto. Zitto. »

« Che sarà? »

« Non lo so. Ma è abbastanza pesante. Sveglia gli altri senza fare rumore. »

L'uomo non fece in tempo ad alzarsi che entrambi si videro investiti da un bagliore argenteo, che feriva la vegetazione umida aumentando l'effetto accecante.

Era il sindaco, allarmato dal rumore, che si avvicinava con la lanterna accesa.

« La spenga », ordinò in tono energico il vecchio senza alzare la voce.

« Perché? C'è qualcosa lì e voglio vedere di che si tratta », ribatté il ciccione puntando il fascio di luce in tutte le direzioni e sollevando contemporaneamente il cane del revolver.

« Le ho detto di spegnere quella stronzata. » Il vecchio gli scaraventò via la lanterna con un colpo.

« Chi credi di essere... »

Le parole del ciccione furono soffocate da un intenso sbattere d'ali e una cascata fetida cadde sul gruppo.

« L'ha combinata bella. Dobbiamo andarcene immediatamente o le formiche verranno a contenderci la merda fresca. »

Il sindaco non seppe come reagire. A tentoni cercò la lanterna, e sempre a tentoni seguì il gruppo allontanandosi dal luogo dove avevano pernottato.

Gli uomini maledicevano la stupidità del ciccione masticando le parole perché non capisse la gravità dei loro insulti.

Raggiunsero una radura e lì furono investiti in pieno dall'acquazzone.

« Che è successo? Cosa è stato? » chiese il ciccione quando si furono fermati.

« Merda. Non sente l'odore? »

« Lo so che è merda. Eravamo sotto un branco di scimmie? »

Una tenue luminosità rese visibili le sagome degli uomini e i contorni della foresta.

« Caso mai le fosse utile, eccellenza, quando si pernotta nella giungla bisogna fermarsi vicino a un albero bruciato o pietrificato. Lì stanno appesi i pipistrelli, il miglior segnale d'allarme su cui si possa contare. Le bestie si preparavano a volare in direzione contraria al rumore che avevamo sentito, così avremmo saputo da che parte proveniva. Ma lei, con il suo lumino e le sue grida, li ha spaventati, e loro ci hanno scaricato addosso quella cascata di merda. Come tutti i roditori sono molto sensibili, e al minimo segnale di pericolo lasciano andare tutto quello che hanno dentro per alleggerirsi. Su, si sfreghi bene la testa se non vuole che le zanzare la mangino vivo. »

Il sindaco imitò il resto del gruppo ripulendosi da quei puzzolenti escrementi. Alla fine c'era ormai abbastanza luce da continuare la marcia.

Camminarono per tre ore, sempre verso oriente, superando ruscelli in piena, crepacci, radure che attraversavano guardando il cielo a bocca aperta per bere l'acqua fresca, e quando arrivarono a una laguna fecero una sosta per mangiare qualcosa.

Raccolsero della frutta e pescarono dei gamberi, che il sindaco si rifiutò di mangiare crudi. Il ciccione, avvolto nell'impermeabile di tela cerata blu, rabbrividiva per il freddo e continuava a lamentarsi di non potere accendere un fuoco.

« Siamo vicini », disse uno.

« Sì. Ma faremo un giro per arrivare da dietro.

Sarebbe più facile costeggiare il fiume e arrivare dal davanti, ma ho idea che quella bestia sia intelligente e non vorrei che ci facesse una sorpresa », li avvertì il vecchio.

Gli uomini manifestarono la loro approvazione e mandarono giù il pasto con qualche sorso di Frontera.

Vedendo che il ciccione si allontanava, ma non troppo, e spariva nascondendosi dietro un arbusto, si dettero delle gomitate.

« Sua Signoria non vuole mostrarci il culo. »

« È così coglione che si siederà su un formicaio credendo che sia una latrina. »

« Scommetto che chiede della carta per pulirsi », sghignazzò un altro.

Si divertivano alle spalle della Lumaca, come lo chiamavano sempre in sua assenza. Ma le risate furono troncate prima dal grido terrorizzato del ciccione, e poi da una serie di spari affrettati. Tutti e sei i colpi del revolver, vuotato con generosità.

Il sindaco ricomparve tirandosi su i pantaloni e chiamandoli forte.

« Venite! Venite! L'ho vista. Era dietro di me, stava per attaccarmi, credo di averla colpita con un paio di pallottole. Venite! Andiamo a cercarla tutti insieme! »

Prepararono le doppiette e si lanciarono nella direzione che il ciccione aveva indicato. Seguendo una vistosa traccia di sangue, che accrebbe l'euforia del sindaco, arrivarono fino a un elegante animale dal muso allungato che dava gli ultimi rantoli. La bella pelliccia gialla maculata si tingeva di sangue e di fango. L'animale li guardava con gli occhi spalancati e dal suo muso a trombetta sfuggiva un debole ansito.

« È un orso del miele. Perché non guarda prima di sparare col suo maledetto giocattolo? Porta sfortuna uccidere un orso del miele. Lo sanno tutti, anche gli scemi. Non esiste un animale più inoffensivo in tutta la foresta. »

Gli uomini scuotevano il capo commossi dalla sorte dell'animale, mentre il ciccione ricaricava l'arma senza riuscire a dire nulla in sua difesa.

Era passato mezzogiorno quando scorsero l'insegna sbiadita dell'Alkaselzer che annunciava lo spaccio di Miranda. Era un rettangolo di latta azzurro scuro, con caratteri quasi illeggibili, che il gestore aveva inchiodato molto in alto sull'albero accanto al quale si levava la sua capanna.

Trovarono il colono a pochi metri dall'entrata. Aveva la schiena aperta da due zampate che andavano dalle scapole alla vita. Il collo, spaventosamente squarciato, lasciava intravedere le vertebre cervicali.

Il morto era sdraiato bocconi e impugnava ancora il machete.

Ignorando la maestria architettonica delle formiche, che durante la notte avevano costruito un ponte di foglie e di rametti per macellare il cadavere, gli uomini lo trascinarono fino alla capanna. Dentro ardeva debolmente una lampada a carburo e c'era puzzo di grasso bruciato.

Avvicinandosi al fornello a cherosene scoprirono la fonte dell'odore. L'aggeggio era ancora tiepido. Aveva consumato fino all'ultima goccia di combustibile e poi aveva bruciacchiato gli stoppini. In una padella c'erano due code di iguana carbonizzate.

Il sindaco guardava il cadavere.

« Non capisco. Miranda era un veterano di queste zone e non si può assolutamente considerare un vigliacco, ma sembra che abbia provato un panico tale, che non si è nemmeno preoccupato di spegnere la cucina. Perché non si è chiuso dentro quando ha sentito la bestia? La doppietta è lì, appesa al muro. Perché non l'ha usata? »

Anche gli altri si facevano le stesse domande.

Il sindaco si tolse l'impermeabile di tela cerata e una cascata di sudore contenuto lo bagnò fino ai piedi. Osservando il morto, fumarono, bevvero, uno si occupò di riparare il fornello, e autorizzati dal ciccione, aprirono delle scatole di sardine.

« Non era un uomo cattivo », disse uno.

« Da quando l'aveva lasciato la moglie, viveva più solo del bastone di un cieco », aggiunse un altro.

« Aveva parenti? » chiese il sindaco.

« No. Era arrivato con suo fratello, che però morì di malaria vari anni fa. La moglie gli scappò con un fotografo ambulante, e dicono che ora viva a Zamora. Forse il padrone del battello conosce il suo recapito. »

« Immagino che lo spaccio gli abbia reso qualcosa. Sapete che faceva dei soldi? » intervenne di nuovo il ciccione.

« Soldi? Se li giocava a dadi, lasciando appena il necessario per rifornirsi di merci. Qui è così, nel caso non lo sapesse. È la foresta che ci entra dentro. Se non abbiamo una meta precisa a cui arrivare, continuiamo a girare a vuoto. »

Gli uomini annuirono con una specie di orgoglio perverso. In quel momento entrò il vecchio.

« Fuori c'è un altro cadavere. »

Uscirono in fretta sotto la pioggia e videro il secondo morto. Era sdraiato sulla schiena, con i pantaloni giù. Aveva i segni degli artigli sulle spalle e la gola squarciata con caratteristiche che cominciavano a farsi familiari. Accanto al cadavere, il machete piantato in terra a poca distanza diceva che non aveva fatto in tempo a essere utilizzato.

« Credo di avere capito », dichiarò il vecchio.

Giravano intorno al corpo, e nello sguardo del sindaco vedevano che cercava febbrilmente di arrivare alla stessa spiegazione.

« Il morto è Plascencio Puñán, un tipo che non si faceva vedere molto in giro, e a quanto pare si apprestavano a mangiare insieme. Ha visto le code di iguana bruciacchiate? Le ha portate Plascencio. Non ci sono animali del genere da queste parti, deve averle cacciate nella foresta a vari giorni di cammino da qui. Lei non lo ha mai conosciuto. Cercava pietre preziose. Non inseguiva l'oro come la maggior parte dei dementi che si avvicinano a queste terre, lui giurava che molto nell'interno si potevano trovare gli smeraldi. Ricordo di averlo sentito parlare della Colombia e di pietre verdi grandi come un pugno. Poveretto. A un certo punto deve avere avvertito lo stimolo di andare di corpo ed è uscito. La bestia lo ha sorpreso così. Accoccolato e con la mano sul machete. Si vede che lo ha attaccato di fronte, gli ha affondato gli artigli nelle spalle e gli ha conficcato le zanne nella gola. Miranda deve aver sentito le grida e deve avere assistito al peggio, allora si è preoccupato soltanto di sellare la mula e di scappare. Ma non è andato molto lontano, come abbiamo visto. »

Uno degli uomini rovesciò il cadavere. Aveva resti di escrementi appiccicati alla schiena.

« Se non altro è riuscito a farla », disse l'uomo, e lasciarono il morto a pancia in giù, perché la pioggia implacabile lavasse le vestigia del suo ultimo atto in questo mondo.

CAPITOLO OTTAVO

Passarono il resto del pomeriggio a occuparsi dei morti.

Li avvolsero nell'amaca di Miranda, uno di fronte all'altro, per evitare che entrassero nell'eternità come estranei, poi cucirono il sudario e gli legarono quattro grosse pietre agli angoli.

Trascinarono il fagotto fino a una vicina palude, lo sollevarono, lo fecero oscillare per prendere lo slancio e lo gettarono tra i giunchi e le rose di pantano. Il fagotto sprofondò gorgogliando, trascinando con sé nella discesa piante e rospi sorpresi.

Quando l'oscurità si impadronì della foresta, ritornarono alla capanna e il ciccione dispose i turni di guardia.

Due uomini sarebbero rimasti svegli, per essere sostituiti dopo quattro ore da un'altra coppia. Lui avrebbe dormito senza interruzione fino al mattino.

Prima di andare a letto cucinarono del riso con fette di banana, e dopo cena Antonio José Bolívar pulì la sua dentatura posticcia e la avvolse nel fazzoletto. I suoi compagni lo videro esitare un

107

istante, e si sorpresero quando si infilò di nuovo la dentiera.

Siccome faceva parte del primo turno, il vecchio si appropriò della lampada a carburo.

Il suo compagno di veglia lo guardava, perplesso, percorrere con la lente di ingrandimento i segni ordinati sul libro.

« Davvero sai leggere, compare? »

« Un po'. »

« E cosa stai leggendo? »

« Un romanzo. Ma stai zitto. Se parli tremola la fiamma, e a me si muovono le lettere. »

L'altro si allontanò per non disturbare, ma era tale l'attenzione che il vecchio dedicava al libro, che non riuscì a restare da parte.

« Di che tratta? »

« Dell'amore. »

Davanti alla risposta del vecchio, l'altro si avvicinò con rinnovato interesse.

« Non mi sfottere. Con belle femmine calde? »

Il vecchio chiuse di scatto il libro facendo vacillare la fiamma della lampada.

« No. Si tratta dell'altro tipo di amore. Quello che fa stare male. »

L'uomo rimase deluso. Si strinse nelle spalle e si allontanò. Bevve con ostentazione un lungo sorso di acquavite, accese un sigaro e cominciò ad affilare la lama del machete.

Passava la pietra, sputava sul metallo, la passava di nuovo e provava il filo con il polpastrello.

Il vecchio continuava nella sua occupazione, senza lasciarsi infastidire dal rumore aspro della pietra contro l'acciaio, mormorando parole come se pregasse.

« Su, leggi a voce un po' più alta. »

« Sul serio? Ti interessa? »

« Accidenti se mi interessa. Una volta andai al cinema, a Loja, e vidi un film messicano, d'amore. Se sapessi quanto ho frignato, compare. »

« Allora devo leggerti tutto dall'inizio, così sai chi sono i buoni e chi i cattivi. »

Antonio José Bolívar ritornò alla prima pagina del libro. L'aveva letta varie volte e la sapeva ormai a memoria.

« Paul la baciò con ardore mentre il gondoliere, complice delle avventure dell'amico, fingeva di guardare altrove, e la gondola, provvista di soffici cuscini, scivolava dolcemente sui canali di Venezia. »

« Non vada così svelto, compare », disse una voce.

Il vecchio alzò gli occhi. Lo circondavano tutti e tre gli uomini. Il sindaco riposava da una parte, sdraiato su un mucchio di sacchi.

« Ci sono parole che non conosco », dichiarò quello che aveva parlato.

« Tu le capisci tutte? » chiese l'altro.

Il vecchio allora si dette a spiegare, a modo suo, i termini ignoti.

La faccenda di gondoliere, gondola, e il fatto di baciare con ardore fu abbastanza chiarita dopo un paio d'ore di scambi di opinione inframmezzati da aneddoti piccanti. Ma il mistero di una città in cui la gente aveva bisogno di barche per spostarsi, non lo capivano in nessun modo.

« Chissà, forse hanno un sacco di pioggia. »

« O fiumi che straripano esageratamente. »

« Devono vivere più bagnati di noi. »

« Immaginatevi. Uno manda giù qualche goccetto, gli viene in mente di uscire fuori a liberarsi, e che vede? I vicini che lo guardano con facce da pesce. »

Gli uomini ridevano, fumavano, bevevano. Il sindaco si rigirò seccato nel suo giaciglio.

« Per vostra informazione, Venezia è una città costruita su una laguna. Ed è in Italia », ruggì dal suo angolo di insonne.

« Accidenti! Allora vuol dire che le case galleggiano come zattere », puntualizzò uno.

« Se è così, a che servono le barche? Possono muoversi con la casa e tutto », ribatté un altro.

« Sarete coglioni! Sono case ferme. Ci sono perfino palazzi, cattedrali, castelli, ponti, strade per la gente. Tutti gli edifici hanno fondamenta di pietra », dichiarò il ciccione.

« E lei come fa a saperlo? C'è stato? » chiese il vecchio.

« No. Ma sono istruito. Non per nulla sono sindaco. »

La spiegazione del ciccione complicava le cose.

« Se ho capito bene, eccellenza, questa gente ha delle pietre che galleggiano, devono essere come la pomice, ma anche così, se uno costruisce una casa di pietra pomice, non galleggia mica, nossignore. Di sicuro, sotto, ci mettono dei tavoloni di legno. »

Il sindaco si prese la testa tra le mani.

« Che coglioni! Accidenti se siete coglioni! Pensate quello che volete. Voi siete stati contagiati dalla mentalità dei selvaggi. Nemmeno Cristo vi leva dalla testa le vostre cazzate. Ah, una cosa: fatela finita di chiamarmi eccellenza. Da quando l'avete sentito dire al dentista, vi siete attaccati a questa paroletta. »

« E come vuole che la chiamiamo? Al giudice dobbiamo dire vossignoria, al prete, eminenza, e anche lei dobbiamo pure chiamarla in qualche modo, eccellenza. »

Il ciccione voleva aggiungere qualcosa, ma un gesto del vecchio lo fermò. Gli uomini capirono, misero mano alle armi, spensero le lampade e aspettarono.

Da fuori arrivò il lieve rumore di un corpo che si muoveva con cautela. I passi non facevano rumore, ma il corpo strusciava contro gli arbusti più bassi e l'erba. In quel modo interrompeva lo scorrere dell'acqua, e quando avanzava l'acqua trattenuta cadeva con rinnovata abbondanza.

Il corpo in movimento tracciava un semicerchio intorno alla capanna. Il sindaco si avvicinò a quattro zampe al vecchio.

« È la belva? »

« Sì. E ha sentito il nostro odore. »

Il ciccione balzò subito in piedi. Nonostante l'oscurità raggiunse la porta e scaricò il revolver all'e-

111

sterno, sparando alla cieca contro il folto degli alberi.

Gli uomini accesero la lampada. Scuotevano la testa senza fare commenti e guardavano il sindaco che ricaricava l'arma.

« Per colpa vostra mi è scappata. Per avere passato la notte a parlare di cazzate da finocchi invece di fare i vostri turni di guardia. »

« Come si vede che lei è istruito, eccellenza. La bestia aveva tutto contro. Era questione di lasciarla passeggiare per calcolare a che distanza era. Altri due giri e l'avremmo avuta a tiro. »

« Già. Voi sapete tutto. Ma potrei anche averla colpita », si giustificò il ciccione.

« Vada a vedere, se vuole. E se l'attacca una zanzara non l'ammazzi a revolverate perché ci fa passare il sonno. »

All'alba, approfittando della luce fievole che filtrava dal tetto della foresta, uscirono a battere le vicinanze. La pioggia non aveva cancellato le tracce di piante schiacciate lasciate dall'animale. Non si vedevano segni di sangue sul fogliame, e le impronte si perdevano nel folto della selva.

Ritornarono alla capanna e bevvero caffè nero.

« Quello che non mi piace è che la bestia gironzola a meno di cinque chilometri da El Idilio. Quanto impiega un *tigrillo* a coprire quella distanza? » chiese il sindaco.

« Meno di noi. Ha quattro zampe, sa saltare sopra le pozzanghere, e non porta stivali », rispose il vecchio.

112

Il sindaco capì che ormai si era screditato troppo davanti agli uomini. Rimanere ancora accanto al vecchio, imbaldanzito dai suoi sarcasmi, sarebbe servito solo ad accrescere la sua fama di incapace, e forse di codardo.

Trovò una via d'uscita che suonava logica e che per di più gli copriva le spalle.

« Facciamo un patto, Antonio José Bolívar. Tu sei un veterano della foresta. La conosci meglio di te stesso. Noi ti diamo solo fastidio, vecchio. Cercala e uccidila. Lo Stato ti pagherà cinquemila *sucres* se ci riesci. Te ne stai qui e la ammazzi come ti pare e piace. Nel frattempo noi torniamo indietro a proteggere il villaggio. Cinquemila *sucres*. Che ne dici? »

In realtà l'unica cosa veramente sensata che si poteva fare era tornare a El Idilio. L'animale, a caccia di uomini, non avrebbe tardato a dirigersi verso il villaggio, e là sarebbe stato facile tendergli una trappola. La femmina avrebbe sicuramente cercato nuove vittime, ed era stupido pretendere di affrontarla sul suo territorio.

Il sindaco voleva disfarsi di lui. Con le sue risposte taglienti feriva i suoi principi di animale autoritario, e aveva trovato una formula elegante per toglierselo dai piedi.

Al vecchio non importava granché di quello che poteva pensare quel ciccione sudato. Non gli importava nemmeno della ricompensa. Altre idee gli passavano per la mente.

Qualcosa gli diceva che l'animale non era lontano. Forse in quel momento li stava osservando, e cominciava a chiedersi perché nessuna delle vittime lo infastidiva. Forse la sua vita passata tra gli shuar permetteva al vecchio di vedere un atto di giustizia in quelle morti. Un cruento, ma inevitabile, occhio per occhio dente per dente.

Il gringo le aveva assassinato i cuccioli, e forse anche il maschio. D'altra parte la condotta dell'animale lasciava intuire che cercava la morte avvicinandosi pericolosamente agli uomini, come aveva fatto con loro la notte precedente, e prima ancora quando aveva sbranato Plascencio e Miranda.

Una legge misteriosa gli diceva che ucciderla era un imprescindibile atto di pietà, ma non di quella pietà prodigata da chi è in condizione di perdonare e di regalarla. La bestia cercava l'occasione di morire faccia a faccia, in un duello che né il sindaco né gli altri uomini avrebbero potuto capire.

« Qual è la tua risposta, vecchio? » ripeté il ciccione.

« D'accordo. Ma lasciatemi sigari, fiammiferi e un'altra razione di cartucce. »

Quando sentì che accettava, il sindaco tirò un sospiro di sollievo e subito gli consegnò quanto chiedeva.

Il gruppo non tardò troppo a mettere a punto i particolari per il ritorno. Si salutarono, e Antonio José Bolívar si dedicò al compito di rinforzare la porta e la finestra della capanna.

A metà pomeriggio fece buio, e sotto la luce taciturna della lampada riprese la lettura, mentre aspet-

114

tava circondato dai rumori dell'acqua che scivolava tra le foglie.

Il vecchio riguardò le pagine dall'inizio.

Era seccato di non riuscire a entrare nell'argomento. Rileggeva le frasi ormai memorizzate, ma gli uscivano di bocca prive di senso. I suoi pensieri vagavano in tutte le direzioni cercando un punto fisso dove fermarsi.

« Forse ho paura. »

Pensò a un proverbio shuar che consigliava di nascondersi alla paura, e spense la lampada. Nell'oscurità si sdraiò sui sacchi con la doppietta pronta appoggiata sul petto, e lasciò che i pensieri si acquietassero come le pietre che toccano il letto del fiume.

Vediamo un po', Antonio José Bolívar. Che ti succede?

Non è la prima volta che ti confronti con una bestia impazzita. Cosa è che ti spazientisce? L'attesa? Preferiresti vederla apparire in questo stesso istante buttando giù la porta per avere un finale rapido? Non accadrà. Sai che nessun animale è così sciocco da invadere la tana altrui. E poi perché sei così sicuro che la femmina cercherà proprio te? Non pensi che la bestia, con tutta l'intelligenza che ha dimostrato, possa preferire il gruppo di uomini? Può seguirli ed eliminarli uno a uno prima che arrivino a El Idilio. Sai che può farlo e avresti dovuto avvertirli, dirglielo: « Non vi separate nemmeno di un metro. Non dormite, restate svegli tutta la notte e accampatevi sempre sulla riva del fiume ». Sai che anche così per la bestia sarebbe facile tendere loro

115

un agguato, fare un balzo, eccone uno a terra con la gola squarciata, e prima che gli altri si riprendano dal panico lei sarà già nascosta, a preparare l'attacco successivo. Credi che la bestia ti senta come uguale a lei? Non essere vanitoso, Antonio José Bolívar. Ricorda che non sei un cacciatore, tu stesso hai sempre rifiutato questa definizione, e i felini seguono i veri cacciatori, l'odore di paura e di verga eretta che solo i cacciatori autentici emanano. Tu non sei un cacciatore. Spesso gli abitanti di El Idilio parlano di te chiamandoti così, ma tu ribatti che non è vero, perché i cacciatori uccidono per vincere una paura che li fa impazzire, che li fa marcire dentro. Quante volte hai visto comparire gruppi di individui febbrili, bene armati, che si addentrano nella foresta? Dopo poche settimane ricompaiono carichi di pelli di orsi formichieri e orsi del miele, di nutrie, boa, lucertoloni, piccoli gatti selvatici, ma mai i resti di un vero avversario come la femmina che stai aspettando. Li hai visti ubriacarsi accanto ai mucchi di pelli per dissimulare la paura che ispira loro la certezza che un nemico degno di questo nome li ha scorti, ha sentito il loro odore e li ha disprezzati nell'immensità della foresta. È vero che i cacciatori sono ogni giorno di meno perché gli animali si sono addentrati nella selva spostandosi verso oriente, attraversando cordigliere impossibili, lontano, così lontano che l'ultimo anaconda avvistato abita in territorio brasiliano. Ma tu hai visto e cacciato anaconda non lontano da qui.

La prima volta fu un atto di giustizia o di vendetta. Per quanto ci pensi e ci ripensi non arrivi a vedere la differenza. Il rettile aveva sorpreso il figlio di un colono mentre faceva il bagno. Volevi bene a quel bambino. Non aveva più di dodici anni e l'anaconda lo lasciò molle come una borsa d'acqua. Ti ricordi, vecchio? Seguisti le tracce in canoa fino a scoprire la spiaggia dove si stendeva al sole. Allora sistemasti varie nutrie morte come esca e aspettasti. A quel tempo eri giovane, agile, e sapevi che proprio da questa agilità dipendeva il fatto di non trasformarti a tua volta in un banchetto per il dio dell'acqua. Fu un buon salto. Il machete in mano. Il taglio netto. La testa del serpente cadde a terra, e ancora prima che la toccasse tu saltasti, per proteggerti, tra la vegetazione bassa, mentre il rettile si contorceva frustando ripetutamente l'aria col suo corpo vigoroso. Undici o dodici metri di odio. Undici o dodici metri di pelle oliva scuro con anelli neri che cercava di uccidere pur essendo già morta.

La seconda volta fu un omaggio, dettato dalla gratitudine, allo stregone shuar che ti aveva salvato la vita. Ricordi? Ripetesti il trucco di lasciare della carne sulla riva come esca, e aspettasti su un albero che uscisse dal fiume. Questa volta fu senza odio. Lo guardavi inghiottire i roditori mentre preparavi il dardo, avvolgendo la punta acuminata in tela di ragno e intingendola nel curaro, poi lo introducesti nell'imboccatura della cerbottana e puntasti cercando la base del cranio.

Il rettile fu colpito dal dardo, si eresse sollevando quasi tre quarti del corpo, e dall'albero dove ti eri

117

nascosto vedesti i suoi occhi gialli, le sue pupille verticali che ti cercavano con uno sguardo che non ti raggiunse, perché il curaro agisce rapidamente.

Poi venne la cerimonia di spellarlo, di fare quindici, venti passi, mentre il machete l'apriva e la sua carne, fredda e rosea, si impregnava di sabbia.

Ricordi, vecchio? Quando consegnasti la pelle, gli shuar dissero che non eri dei loro, ma che eri di lì.

E nemmeno i *tigrillos* sono degli estranei per te, vecchio, a parte il fatto che non hai mai ucciso un cucciolo, né di *tigrillo* né di altre specie. Solo esemplari adulti, come prescrive la legge shuar. Sai che i *tigrillos* sono animali strani, dal comportamento imprevedibile. Non sono forti come i giaguari, ma in cambio danno prova di un'intelligenza raffinata.

« Se trovare le tracce è troppo facile e ti senti fiducioso, vuol dire che il *tigrillo* ti sta osservando la nuca », dicono gli shuar, ed è vero.

Una volta, su richiesta dei coloni, hai potuto misurare l'astuzia di quel grosso gatto maculato. Un esemplare particolarmente robusto si accaniva sulle vacche e sulle mule, e ti chiesero di dare loro una mano. Fu difficile cacciarlo. Prima l'animale si lasciò seguire, guidandoti fino ai contrafforti della cordigliera del Cóndor, terre dalla vegetazione bassa, ideali per imboscate raso terra. Quando ti accorgesti di esserti messo in trappola cercasti di andartene e di tornare nel folto della foresta, ma il *tigrillo* ti tagliava il passo mostrandosi, senza però darti il tempo di portare la doppietta all'altezza degli occhi. Sparasti due o tre volte senza riuscire a colpirlo, fin-

118

ché capisti che il felino voleva stancarti prima dell'attacco finale. Ti comunicò che sapeva aspettare, e forse anche che le tue munizioni erano poche.

Fu una lotta degna. Ricordi, vecchio? Aspettavi senza muovere un muscolo, dandoti degli schiaffi di tanto in tanto per scacciare il sonno. Tre giorni d'attesa, finché l'animale si sentì sicuro e si lanciò all'attacco. Fu un buon trucco quello di aspettare sdraiato a terra con l'arma carica.

Perché ricordi tutto questo? Perché la femmina occupa i tuoi pensieri? Forse perché entrambi sapete che siete alla pari? Dopo quattro assassinii sa molte cose degli uomini, quanto tu dei *tigrillos*. O forse tu ne sai meno. Gli shuar non cacciano *tigrillos*. La carne non è commestibile e basta una sola pelle per fabbricare centinaia di monili che durano generazioni. Gli shuar. Ti piacerebbe avere uno di loro con te? Certo, il tuo compagno Nushiño.

« Compagno, cerchi le tracce per me? »

Lo shuar si rifiuterà. Sputando spesso per farti capire che è sincero, mostrerà il suo disinteresse. Non sono affari suoi. Tu sei il cacciatore dei bianchi, quello che ha una doppietta, quello che viola la morte avvelenandola col dolore. Il tuo compagno Nushiño ti dirà che gli shuar cercano di uccidere solo i pigri *tzanzas*, i bradipi.

« E perché, compagno? Gli *tzanzas* si limitano a dormire appesi agli alberi. »

Prima di rispondere Nushiño farà un peto sonoro perché nessun pigro *tzanza* lo senta, e ti dirà che molto tempo addietro un capo shuar diventò cattivo

119

e sanguinario. Uccideva shuar buoni senza nessun motivo e gli anziani decretarono la sua morte. Tñaupi, il capo sanguinario, vedendosi in trappola, si dette alla fuga trasformato in un pigro *tzanza*, ma i bradipi sono tutti uguali ed è impossibile sapere quale di loro nasconde lo shuar condannato. Per questo bisogna ucciderli tutti.

« Dicono che è andata così », concluderà Nushiño sputando un'ultima volta prima di andarsene, perché gli shuar si allontanano sempre quando hanno finito una storia, per evitare le domande generatrici di bugie.

Da dove vengono tutti questi pensieri? Andiamo, Antonio José Bolívar. Su, vecchio. Sotto quale pianta si nascondono per attaccare? Sarà che ormai la paura ti ha trovato e non puoi più fare nulla per nasconderti? Se è così, gli occhi della paura possono vederti, così come tu vedi le prime luci dell'alba che filtra dalle fessure tra le canne.

Dopo avere bevuto varie tazze di caffè nero, si dedicò ai preparativi. Sciolse alcune candele e immerse le cartucce nel grasso liquefatto. Subito le fece sgocciolare, in modo che restassero ricoperte solo da una sottile pellicola. Così si sarebbero conservate asciutte anche se fossero cadute in acqua.

Il resto del grasso fuso se lo applicò sulla fronte, coprendo in particolare le sopracciglia così da formare una specie di visiera. In quel modo l'acqua non gli avrebbe offuscato la vista nel caso in cui si fosse trovato ad affrontare l'animale in una radura.

Alla fine controllò il filo del machete e si addentrò nella selva in cerca di tracce.

Cominciò avanzando lungo un raggio di soli duecentocinquanta passi dalla capanna verso oriente, seguendo le impronte trovate il giorno prima.

Quando arrivò nel punto che si era proposto iniziò una variante semicircolare verso sud-est.

Scoprì un certo numero di piante schiacciate, con gli steli sepolti nel fango. Lì si era accucciato l'animale prima di avanzare verso la capanna. Le chiazze di vegetazione calpestata si ripetevano ogni certo numero di passi scomparendo verso il fianco di un'altura.

Dimenticò quelle vecchie tracce e continuò a cercare.

Scrutando sotto grandi foglie di banano selvatico trovò le orme dell'animale. Erano zampe grandi, quasi come il pugno di un uomo adulto, e accanto alle impronte trovò altri particolari rivelatori della condotta della femmina.

L'animale non cacciava. Steli troncati lungo le orme contraddicevano lo stile di caccia di qualsiasi felino: la femmina muoveva la coda, frenetica fino alla noncuranza, eccitata dalla vicinanza delle vittime. No, non cacciava. Si muoveva con la sicurezza di chi sa di trovarsi davanti a specie meno dotate.

La immaginò lì, il corpo magro, la respirazione agitata, ansiosa, gli occhi fissi, impietriti, tutti i

121

muscoli tesi, la coda che batteva contro la vegetazione con sensualità.

« Bene, bestiaccia, ormai so come ti muovi. Ora devo scoprire dove sei. »

Parlò rivolto alla foresta ricevendo come unica risposta il rumore della pioggia.

Ampliando il raggio di azione, si allontanò dalla capanna di Miranda e raggiunse una lieve altura, che nonostante la pioggia gli permetteva di osservare agevolmente tutta la zona. La vegetazione si faceva bassa e fitta, in contrasto con gli alberi alti che lo proteggevano da un attacco raso terra. Decise di abbandonare la collinetta avanzando in linea retta verso ponente, in direzione del fiume Yacuambi, che scorreva non molto lontano.

Poco prima di mezzogiorno cessò di piovere e si allarmò. Doveva assolutamente continuare, altrimenti sarebbe cominciata l'evaporazione e la selva sarebbe stata sommersa da una nebbia densa che gli avrebbe impedito di respirare e di vedere oltre la punta del suo naso.

All'improvviso milioni di aghi argentati perforarono il soffitto della foresta illuminando intensamente il punto dove cadevano. Era proprio sotto un buco tra le nuvole, abbagliato dai raggi del sole che si riflettevano sopra le piante bagnate. Si sfregò gli occhi lanciando maledizioni, e circondato da centinaia di effimeri arcobaleni si affrettò ad allontanarsi prima che cominciasse la temuta evaporazione.

Allora la vide.

Messo all'erta da un rumore di acqua che cadeva

all'improvviso, si voltò e la scorse che si spostava verso sud, a una cinquantina di metri di distanza.

Si muoveva lentamente, con le fauci aperte, frustandosi i fianchi con la coda. Calcolò che dalla testa alla coda misurava due metri buoni, e che in piedi sulle zampe posteriori superava la statura di un cane da pastore.

L'animale scomparve dietro un arbusto, ma si fece rivedere quasi immediatamente. Questa volta si muoveva verso nord.

« Questo trucco lo conosco. Se mi vuoi qui, va bene, ci rimango. Nella nube di vapore non vedrai più nulla nemmeno tu », le gridò, e si protesse le spalle appoggiando la schiena a un tronco.

La pausa della pioggia richiamò immediatamente le zanzare. Attaccarono cercando labbra, palpebre, graffi. I minuscoli insetti si infilavano negli orifizi nasali, nelle orecchie, tra i capelli. Rapidamente si mise in bocca un sigaro, lo masticò per spappolarlo, e si applicò l'impasto di saliva sul volto e sulle braccia.

Per fortuna la pausa durò poco e riprese a piovere con rinnovata intensità. Subito tornò la calma, si sentiva solo il rumore dell'acqua che penetrava tra il fogliame.

La femmina si lasciò vedere varie volte, muovendosi sempre su una traiettoria nord-sud.

Il vecchio la osservava, studiandola. Seguiva i movimenti dell'animale per scoprire in che punto della selva compiva il giro che le permetteva di tornare sempre allo stesso punto, a nord, per ricominciare la sua passeggiata provocatoria.

« Eccomi qua tutto per te. Sono Antonio José Bolívar Proaño e l'unica cosa che ho d'avanzo è la pazienza. Sei un animale strano, su questo non ci sono dubbi. Mi chiedo se la tua condotta è intelligente o disperata. Perché non mi giri intorno e tenti dei finti attacchi? Perché non ti avvii verso oriente, per farti seguire? Ti muovi da nord a sud, giri a ponente e ricominci da capo. Mi prendi per coglione? Mi stai tagliando la strada verso il fiume. È questo il tuo piano. Mi vuoi vedere fuggire verso il folto della foresta per seguirmi. Non sono coglione fino a quel punto, amica mia. E tu non sei così intelligente come supponevo. »

Osservava i suoi spostamenti e in alcune occasioni fu sul punto di sparare, ma non lo fece. Sapeva che il tiro doveva essere sicuro e definitivo. Se la feriva soltanto, la femmina non gli avrebbe dato il tempo di ricaricare l'arma, che, per un difetto dei cani, faceva esplodere entrambe le cartucce contemporaneamente.

Passarono le ore, e quando la luce cominciò a diminuire seppe che il gioco dell'animale non consisteva nello spingerlo verso oriente. Lo voleva lì, in quel punto, e aspettava l'oscurità per attaccarlo.

Il vecchio calcolò che disponeva di un'ora di luce, in quell'intervallo di tempo doveva andarsene, raggiungere la riva del fiume e cercare un luogo sicuro.

Aspettò che la femmina finisse uno dei suoi spostamenti verso sud e iniziasse il giro che la riportava al punto di partenza. Allora, correndo a tutta velocità, si lanciò verso il fiume.

Arrivò a un vecchio appezzamento disboscato che gli permise di guadagnare tempo, e lo attraversò con la doppietta stretta al petto. Con un po' di fortuna avrebbe raggiunto la riva del fiume prima che la femmina scoprisse la sua manovra di evasione. Sapeva che non lontano da lì avrebbe trovato un accampamento abbandonato di cercatori d'oro, dove avrebbe potuto rifugiarsi.

Si rallegrò quando sentì il rumore della piena. Il fiume era vicino. Per raggiungere la riva gli restava soltanto da scendere un pendio di una quindicina di metri coperto di felci, quando l'animale attaccò.

La femmina doveva essersi mossa con tale velocità e cautela, scoprendo il suo tentativo di fuga, che era riuscita a correre parallela al vecchio senza farsi notare, fino a piazzarglisi a un lato.

Ricevette lo spintone affibbiatogli con le zampe anteriori e cadde ruzzolando giù dal pendio.

Stordito, si accucciò brandendo il machete con tutte e due le mani, e aspettò l'attacco finale.

In alto, sul bordo del declivio, la femmina muoveva la coda freneticamente. Le piccole orecchie vibravano captando tutti i rumori della foresta, ma non attaccava.

Sorpreso, il vecchio si mosse lentamente fino a recuperare la doppietta.

« Perché non attacchi? A che gioco stai giocando? »

Sollevò i cani della doppietta e si accostò l'arma al volto. A quella distanza non poteva fallire.

In alto la femmina non gli staccava gli occhi di

125

dosso. All'improvviso ruggì, triste e stanca, e si lasciò cadere sulle zampe.

La debole risposta del maschio gli arrivò da molto vicino, e non fece fatica a trovarlo.

Era più piccolo della femmina, e stava sdraiato al riparo di un tronco vuoto. Era ridotto pelle e ossa e aveva una coscia quasi strappata dal corpo da un colpo di fucile. L'animale respirava a stento, e l'agonia sembrava dolorosissima.

« Volevi questo? Che gli dessi il colpo di grazia? » gridò il vecchio verso l'altura, e la femmina si nascose tra le piante.

Si avvicinò al maschio ferito e gli accarezzò la testa. L'animale alzò appena una palpebra. Esaminando con attenzione la ferita vide che cominciavano a mangiarselo le formiche.

Appoggiò le due canne del fucile al petto dell'animale.

« Mi dispiace, compagno. Quel gran figlio di puttana di un gringo ci ha fottuto la vita a tutti », e sparò.

Non vedeva la femmina, ma la indovinava in alto, nascosta, in preda a lamenti forse simili a quelli umani.

Ricaricò l'arma e si avviò tranquillamente verso la riva desiderata. Si era allontanato di un centinaio di metri quando vide la femmina scendere dal maschio morto.

Arrivò alla capanna abbandonata dai cercatori d'oro che era quasi buio, e scoprì che il temporale aveva abbattuto la costruzione di canne. Si dette rapidamente un'occhiata intorno e si rallegrò di trovare una canoa dal ventre lacerato rovesciata sulla riva.

Trovò anche un sacco con delle fette di banana secche, se ne riempì le tasche e si infilò sotto il ventre della canoa. Le pietre del suolo erano asciutte. Sospirò sollevato, sdraiandosi sulla schiena con le gambe allungate, al sicuro.

« Abbiamo avuto fortuna, Antonio José Bolívar. Con quella caduta c'era da rompersi l'osso del collo. È stata una benedizione quel materasso di felci. »

Sistemò il machete al suo fianco. Il ventre della canoa offriva un'altezza sufficiente per mettersi gattoni se desiderava avanzare o retrocedere. L'imbarcazione misurava circa nove metri di lunghezza e aveva vari squarci prodotti dalle pietre affilate delle rapide. Messosi comodo, mangiò qualche pugno di banane secche e accese un sigaro, che fumò con vero diletto. Era stanchissimo e non tardò ad addormentarsi.

Cadde preda di uno strano sogno. Vedeva se stesso – il corpo dipinto con le tonalità cangianti di un boa – seduto davanti al fiume per ricevere gli effetti della natema.

Davanti a lui qualcosa si muoveva nell'aria, tra il fogliame, sulla superficie tranquilla dell'acqua, sul fondo stesso del fiume. Qualcosa che sembrava avere tutte le forme, e allo stesso tempo nutrirsi di tutte. Cambiava incessantemente, senza lasciare che gli occhi allucinati vi si abituassero. All'improvviso prendeva la sagoma di un pappagallo, poi diventava

127

un *bagre guacamayo* che saltava con la bocca aperta e inghiottiva la luna, e cadendo nell'acqua lo faceva con la brutalità di un avvoltoio che si getta su un uomo. Questo qualcosa era privo di una forma precisa, definibile, ma qualunque forma assumesse aveva sempre due inalterabili e splendenti occhi gialli.

« È la tua morte che si camuffa per sorprenderti. Se lo fa, vuol dire che per te non è ancora arrivato il momento di andarsene. Dalle la caccia », gli ordinava lo stregone shuar massaggiandogli il corpo sfinito con cenere fredda.

E la forma dagli occhi gialli si muoveva in tutte le direzioni. Si allontanava fino a essere inghiottita dalla vasta e sempre vicina linea verde dell'orizzonte, e gli uccelli tornavano a volteggiare coi loro messaggi di benessere e di pienezza. Ma passato un certo tempo ricompariva in una nuvola nera che scendeva rapida, e una pioggia di inalterabili occhi gialli cadeva sopra la selva attaccandosi ai rami e alle liane, accendendo la giungla di una tonalità gialla incandescente che lo trascinava di nuovo nella frenesia della paura e delle febbri. Lui voleva gridare, ma i roditori del panico gli sbranavano la lingua a morsi. Voleva mangiare, ma le sottili serpi volanti gli legavano le gambe. Voleva andare nella sua capanna, entrare nel ritratto che lo mostrava accanto a Dolores Encarnación del Santísimo Sacramento Estupiñán Otavalo e abbandonare quei luoghi di ferocia. Ma gli occhi gialli erano da tutte le parti e gli tagliavano la strada, da tutte le parti allo stesso tempo, come ora, che li sentiva sopra la canoa, e questa si muoveva, oscillando per il peso di un corpo che camminava sulla sua superficie di legno.

Trattenne il respiro per scoprire cosa stava accadendo.

No. Non era più nel mondo dei sogni. La femmina era davvero sopra la canoa, e passeggiava, e siccome il legno era molto liscio, levigato dall'acqua incessante, l'animale si serviva degli artigli per non scivolare mentre camminava da prua a poppa. Il vecchio sentiva il suono vicino della sua respirazione ansiosa.

Lo scorrere del fiume, la pioggia e il passeggiare della femmina erano tutti i suoi riferimenti nell'universo. Il nuovo atteggiamento dell'animale lo obbligava a riflettere in fretta e furia. La femmina aveva dimostrato di essere troppo intelligente per pretendere che lui accettasse la sfida e uscisse ad affrontarla in piena oscurità.

Che nuovo stratagemma era questo? Forse era vero quello che dicevano gli shuar riguardo all'olfatto dei felini?

« Il *tigrillo* capta l'odore di morto che molti uomini mandano senza saperlo. »

Prima alcune gocce, poi degli zampilli pestilenziali, si mescolarono all'acqua che entrava dagli squarci nella canoa.

Il vecchio capì che l'animale era impazzito. Gli pisciava addosso. Lo marcava come sua preda, considerandolo morto prima ancora di affrontarlo.

Così passarono lunghe ore dense, finché un debole chiarore filtrò dentro il rifugio.

Lui, sotto, controllava disteso sulla schiena la carica della doppietta, mentre la femmina, sopra, continuava la sua passeggiata instancabile, sempre più breve e nervosa.

Quando sentì scendere l'animale, dalla luce dedusse che era quasi mezzogiorno. Attento, aspettò la sua nuova mossa, finché un rumore su un fianco lo avvertì che la femmina aveva iniziato a scavare tra le pietre su cui poggiava l'imbarcazione.

Visto che lui non rispondeva alla sfida, la femmina aveva deciso di entrare nel suo nascondiglio.

Trascinandosi sulla schiena, indietreggiò fino all'altro estremo della canoa, giusto in tempo per evitare gli artigli, comparsi lanciando colpi alla cieca.

Sollevò il capo con la doppietta attaccata al petto e sparò.

Poté vedere il sangue che schizzava dalla zampa dell'animale, e contemporaneamente un intenso dolore al piede destro gli indicò che aveva calcolato male l'apertura delle gambe, e che vari pallini gli erano entrati nel collo del piede.

Erano pari. Feriti tutti e due.

La sentì allontanarsi, e con l'aiuto del machete sollevò un po' la canoa, lo spazio sufficiente per vederla, a un centinaio di metri, che si leccava la zampa ferita.

Allora ricaricò l'arma e con una spinta rovesciò l'imbarcazione.

Quando si alzò in piedi la ferita gli produsse un dolore terribile, e l'animale, sorpreso, si acquattò sulle pietre calcolando l'attacco.

130

« Sono qui. Finiamo questo maledetto gioco una volta per tutte. »

Si sentì gridare con una voce sconosciuta, senza essere sicuro di averlo fatto in shuar o in spagnolo, e la vide correre sulla riva come una saetta maculata, senza fare caso alla zampa ferita.

Il vecchio si accucciò, e l'animale, quando fu giunto a circa cinque metri da lui, spiccò un salto prodigioso mostrando gli artigli e le zanne.

Una forza sconosciuta lo obbligò ad aspettare che la femmina raggiungesse l'apice del suo volo. Allora premette i grilletti e l'animale si fermò a mezz'aria, piegò il corpo di lato e cadde pesantemente con il petto squarciato dalla doppia scarica di pallini.

Antonio José Bolívar Proaño si alzò lentamente in piedi. Si avvicinò all'animale morto e rabbrividì vedendo come l'avevano deturpato i due colpi. Il petto era una gigantesca ecchimosi e dalla schiena spuntavano resti di budella e di polmoni spappolati.

Era più grande di quello che aveva pensato vedendola la prima volta. Benché fosse magra, era un animale superbo, bellissimo, un capolavoro di vigore impossibile da riprodurre anche solo col pensiero.

Il vecchio la accarezzò, ignorando il dolore del piede ferito, e pianse di vergogna, sentendosi indegno, umiliato, in nessun caso vincitore di quella battaglia.

Con gli occhi annebbiati dalle lacrime e dalla pioggia, spinse il corpo dell'animale fino alla riva del fiume, e le acque se lo portarono via, verso l'interno della foresta, fino ai territori mai profanati

131

dall'uomo bianco, fino all'incontro col Rio delle Amazzoni, verso le rapide dove sarebbe stato squarciato da pugnali di pietra, in salvo per sempre dalle bestie indegne.

Gettò subito via con furia la doppietta e la vide affondare senza gloria. Bestia di metallo odiata da tutte le creature.

Antonio José Bolívar Proaño si tolse la dentiera, l'avvolse nel fazzoletto, e senza smettere di maledire il gringo primo artefice della tragedia, il sindaco, i cercatori d'oro, tutti coloro che corrompevano la verginità della sua Amazzonia, tagliò con un colpo di machete un ramo robusto, e appoggiandovisi si avviò verso El Idilio, verso la sua capanna, e verso i suoi romanzi, che parlavano d'amore con parole così belle che a volte gli facevano dimenticare la barbarie umana.

Artatore, Jugoslavia, 1987
Amburgo, Germania, 1988

INDICE